La Rebelle
et le Yankee

MARCEL LEFEBVRE

La Rebelle et le Yankee

2
1775-1776

LES ROBES NOIRES DE LA SOUMISSION

Roman

Libre Expression

Une société de Québecor Média

Catalogage avant publication de Bibliothèque et Archives nationales du Québec
et Bibliothèque et Archives Canada

Lefebvre, Marcel, 1941-
    La rebelle et le Yankee : roman
    Sommaire : 2. Les robes noires de la soumission.

    ISBN 978-2-7648-0846-7 (v. 2)

    1. Canada - Histoire - 1763-1791 - Romans, nouvelles, etc. I. Titre. II. Titre : Les
robes noires de la soumission.

PS8623.E451R42 2013   C843'.54   C2013-940326-4
PS9623.E451R42 2013

Édition : Miléna Stojanac, Romy Snauwaert
Révision linguistique : Sophie Sainte-Marie
Correction d'épreuves : Julie Lalancette
Couverture et grille graphique intérieure : Chantal Boyer
Mise en pages : Hamid Aittouares
Illustration de la couverture : Xin Ran Liu
Photo de l'auteur : Sarah Scott

Bien qu'inspiré par certains faits et personnages historiques, cet ouvrage est une œuvre de
fiction et le fruit de l'imagination de l'auteur.

Remerciements

Nous reconnaissons l'aide financière du gouvernement du Canada par l'entremise du
Fonds du livre du Canada pour nos activités d'édition.
Nous remercions le Conseil des Arts du Canada et la Société de développement des
entreprises culturelles du Québec (SODEC) du soutien accordé à notre programme de
publication.
Gouvernement du Québec – Programme de crédit d'impôt pour l'édition de livres –
gestion SODEC.

Les Éditions Libre Expression
Groupe Librex inc.
Une société de Québecor Média
La Tourelle
1055, boul. René-Lévesque Est
Bureau 300
Montréal (Québec) H2L 4S5
Tél. : 514 849-5259
Téléc. : 514 849-1388
www.edlibreexpression.com

Dépôt légal – Bibliothèque et Archives nationales du Québec et Bibliothèque et Archives
Canada, 2013

ISBN : 978-2-7648-0846-7

Distribution au Canada
Messageries ADP
2315, rue de la Province
Longueuil (Québec) J4G 1G4
Tél. : 450 640-1234
Sans frais : 1 800 771-3022
www.messageries-adp.com

Diffusion hors Canada
Interforum
Immeuble Paryseine
3, allée de la Seine
F-94854 Ivry-sur-Seine Cedex
Tél. : 33 (0) 1 49 59 10 10
www.interforum.fr

À ma compagne, Michèle Poitras.

Au printemps 1776, les Américains sont repoussés par l'armée britannique et défaits dans leur tentative de libération du Canada. Les Canadiens qui ont soutenu les Yankees sont forcés de s'amender publiquement, et Hélène Clermont, fille rebelle d'un médecin de Neuville, est condamnée à subir le supplice du goudron. Au moment de perdre conscience, elle se rappelle comment cette aventure a débuté, seize ans plus tôt, durant la guerre de la conquête, en 1759.

On assiste à la rencontre d'Hélène avec son petit cousin éloigné, Clément Gosselin, résidant de l'île d'Orléans, hébergé chez elle après la défaite sur les plaines d'Abraham Martin. Elle en tombe vite amoureuse. Puis son père décède peu de temps après la victoire de Sainte-Foy. Toute sa famille déménage sur la rive sud du fleuve Saint-Laurent, fuyant la soldatesque britannique et ses représailles. Habitant avec les siens chez son oncle Jean-Louis à Saint-Pierre-de-la-Rivière-du-Sud, Hélène voit Clément retourner vivre sur l'île d'Orléans avec l'espoir d'y retrouver père et mère.

Les années passent. Hélène s'éloigne de sa famille, incapable de supporter que sa sœur aînée, Isabelle, prenne pour époux un officier britannique et que ses deux frères, exilés à La Pocatière, acceptent de s'enrôler dans les rangs de la milice du roi.

Hélène revoit Clément tous les ans lors de la fête de la Saint-Jean-Baptiste. Ensemble, ils mettent sur pied la société secrète des Insoumis. Hélène et Clément sont amoureux, mais celui-ci éprouve un certain malaise à l'idée du mariage consanguin qu'elle souhaite. Il veut des enfants, et son curé lui déconseille d'épouser une parente, même une cousine éloignée. À l'été 1770, Clément se présente à la rencontre annuelle accompagné de son nouveau beau-père. Hélène reçoit le coup en plein cœur. Seule au monde, sans amour et loin de ses proches, elle quitte pour Boston, où la révolte gronde, et y rejoint les rebelles américains, qu'elle estime être l'unique famille qu'il lui reste.

À Boston, elle rencontre Simeon Goodwin, un artiste peintre engagé dont elle devient amoureuse. Ils vivent ensemble une grande passion aux odeurs de poudre et de révolution pendant quatre ans. Puis Simeon prend part à la rébellion américaine et Hélène revient vers les siens mener son propre combat.

Hélène et Clément se retrouvent à Berthier-sur-Mer. Il lui annonce que sa femme lui a donné trois enfants avant de sombrer dans un abattement profond dont elle ne semble plus sortir et offre à son ancienne maîtresse de reprendre leur relation amoureuse. Hélène finit par accepter, car elle doute de revoir son amant américain un jour.

De nouveau, Hélène connaît le bonheur auprès de Clément, jusqu'au jour où elle apprend que les Yankees sont sur le point d'atteindre Sartigan, dans la Beauce, après une marche héroïque dans les Appalaches, le long des rivières Kennebec et Chaudière. Hélène se porte au secours de cette armée de gueux, totalement épuisée et à l'article de la mort. Elle craint que Simeon en fasse partie, car cette éventualité l'obligerait à faire un choix douloureux entre les deux hommes.

Simeon, de fait, est un des premiers miliciens à déboucher de la forêt. Malgré son piètre état, Hélène le reconnaît et se jette dans ses bras alors que Clément assiste à la scène. Hélène est prise au piège.

CHAPITRE 1

Automne 1775. Sartigan.

Simeon venait de s'arracher aux griffes de la forêt, épuisé, les vêtements en lambeaux, les pieds ensanglantés. Des semaines de marche, de portages harassants, de famine et de privation l'avaient conduit au bord du désespoir. Incrédule, il vit s'approcher un chariot de ravitaillement mené par une amazone, debout, fouettant son cheval de trait. Il ne pouvait se tromper : une femme, belle et fière comme une reine, vêtue d'un pantalon de peau, la tête ceinte d'un cordon de babiche, il n'en connaissait qu'une : son Hélène, Hélène aux yeux gris fascinants. Celle qui avait été sa maîtresse à Boston, la source d'inspiration de tableaux magnifiques et la compagne de ses plus chaudes nuits d'amour, fonçait vers lui dans la plaine de Sartigan. Pendant un moment, il se demanda s'il était en train de délirer.

Simeon se frotta les yeux. Non, il ne rêvait pas. Il tenta alors d'attirer son attention par de grands gestes. Voyant qu'elle ne le reconnaissait pas sous son apparence de gueux, sa barbe longue, ses cheveux hirsutes, son visage crasseux, il sortit un dessin d'elle qu'il portait sous sa vareuse élimée, comme un porte-bonheur, et le lui montra.

Quand Hélène l'identifia, elle eut l'impression que son cœur s'était arrêté. Figée sur place, elle vécut pour la première fois un sentiment terrible, une émotion affolante : un affreux mélange de joie extrême et de panique absolue. La déchirure de l'âme.

Elle descendit du chariot, courut vers Simeon et se jeta dans ses bras. Elle le tint contre son cœur qui battait à tout rompre.

Puis elle aperçut Clément, interdit lui aussi, qui observait toute la scène, effaré. Le cœur d'Hélène, qui éclatait de bonheur, fut transpercé d'un chagrin violent. Elle aurait voulu mourir. Entourée des bras de Simeon, elle comprit le coup qu'elle infligeait à Clément. L'affection qu'elle offrait à l'un, elle la volait à l'autre.

Elle s'arracha précipitamment à l'étreinte du Bostonnais en espérant que Clément n'avait pas observé la scène dans ses moindres détails et que cette embrassade d'un soldat yankee pouvait s'interpréter comme un simple excès d'enthousiasme devant l'arrivée si longtemps espérée des renforts. Mais la félicité qu'elle venait d'éprouver avec Simeon s'écroula comme une falaise après la pluie devant la déception évidente de Clément. Elle le vit tourner le dos et s'éloigner.

À l'écart, un rassemblement spontané s'était formé. Un jeune Algonquin, à bout de souffle, sali de boue jusqu'à la taille, se laissa choir au beau milieu du village des Abénaquis. Il avait parcouru à pied la distance entre la pointe Lévy et Sartigan, franchi les marécages du Plée de Saint-Henri en pleine nuit. Une course à obstacles qui avait mis ses réserves d'énergie à l'épreuve. La nouvelle qu'il apportait à son chef était capitale pour toute sa tribu. Il le savait.

On dut lui donner à boire avant qu'il retrouve la parole. Des curieux l'entourèrent spontanément, une femme vint jeter une couverture sur ses épaules. Le chef algonquin, qui avait accepté de conduire le groupe de ravitailleurs d'Hélène jusqu'à Sartigan, reconnut un membre de sa tribu et s'en approcha. Le jeune autochtone fit alors son rapport en phrases entrecoupées :

— Ils ont tout volé, tout brûlé, tout détruit !

— Qu'est-ce qu'ils ont pris ? le questionna le chef algonquin, impatient.

— Les canots... Ils ont saisi tous nos canots, les barques... tous les bateaux. Ils les ont défoncés à coups de hache, y ont mis le feu avec leurs torches, ont emporté...

— Ils ont détruit nos embarcations ? Pourquoi ? Parle ! ordonna le chef.

— Les Habits rouges, ils sont venus et, de ce côté-ci de la rivière, il ne nous reste plus aucun rabaska en bon état. Impossible de traverser sur l'autre rive maintenant, ni de pêcher ou de chasser. Ils ont fait pareil à l'île d'Orléans.

Le chef en avait assez entendu. Il avait tout compris. Cramahé, qui dirigeait Québec en l'absence de Carleton, avait pris des mesures préventives dans le but d'empêcher tout passage d'une rive à l'autre. Il avait sûrement été averti de l'arrivée imminente des Yankees par la rivière Chaudière.

L'émissaire algonquin reprit son souffle et continua son récit. Toutes les armes lourdes avaient aussi été démantelées sur la côte, et deux vaisseaux de guerre, la frégate *Lizard* avec ses vingt-six obusiers et le sloop *Hunter*, de seize canons, faisaient une patrouille constante le long de la côte sud pour décourager la moindre tentative de transit vers Québec.

Clément, à l'écart, se morfondait et prêtait aux discours une oreille distraite. Il s'était retiré près du ruisseau qui serpentait entre les habitations du village indien et marquait le coup de la grande peine qu'il venait de vivre. Hélène s'était jetée dans les bras d'un soldat yankee avec un peu trop d'enthousiasme ; il devina que l'homme était cet « autre amour » qu'elle lui avait dit avoir connu lors de son séjour à Boston. La tristesse et le désarroi se lisaient sur son visage. La vie allait pourtant si bien ces derniers mois. Il avait renoué avec son ancienne maîtresse dans la joie et le plaisir, et voilà que leur relation semblait déjà menacée.

La plaine de Sartigan était noire de monde. Le va-et-vient entre les wigwams était étourdissant. Les uns couraient chercher le nécessaire pour soigner les blessés graves, pendant que les autres débitaient les bêtes qu'on allait mettre à cuire. En de meilleures circonstances, Clément aurait eu l'âme à la fête. Après tout, c'était un grand moment pour lui. Depuis l'âge de quatorze ans, il rêvait de chasser les Britanniques hors de son pays, et l'armée américaine arrivait enfin pour l'aider à mener à terme son projet de rébellion.

Comme il ne pouvait supporter la vue d'Hélène accaparée par le soldat yankee en mal d'affection et privé de femme depuis des mois, Clément se retira dans l'abri de fortune installé par Germain Dionne au bord du ruisseau, légèrement à l'écart. Blessé dans son amour-propre, il se demanda quel comportement adopter.

Hélène, elle, était préoccupée. Elle n'avait pas revu Clément depuis qu'il l'avait surprise dans les bras de Simeon. Elle le cherchait avec un désagréable sentiment de culpabilité, tout en essayant de se libérer des avances du Bostonnais. Heureusement, il y avait assez à faire qu'elle trouvait mille prétextes pour le tenir à distance.

Déjà, les Abénaquis aidaient la femme du capitaine de milice Pierre Parent à préparer une recette nourrissante pour tous ces hommes décharnés qui venaient d'échapper à l'horreur. Pendant qu'on achevait plusieurs moutons, quelques soldats américains demandèrent la permission de manger le foie de l'animal cru, tant ils avaient des crampes au ventre. Plusieurs en avalèrent trop et trop vite. Ils furent malades. L'un d'eux mourut d'une indigestion aiguë. Les Abénaquis mirent alors à la disposition des troupes de grands chaudrons de fonte qu'on remplit de viandes fraîches, de lardons, d'oignons et de patates à bouillir.

Quelques heures plus tard, des centaines d'hommes jaillirent des bois à leur tour en pleurant de soulagement. C'était le corps principal de l'armée américaine, en décalage sur l'avant-garde d'Arnold. La vaste plaine qui servait d'espace de vie aux Abénaquis fut vite couverte de militaires misérables, anémiques et à l'épiderme zébré d'éraflures. On remplit leurs gamelles de fromage et de morceaux de viande, et on les abreuva de lait.

On découpa la peau des bêtes abattues pour le repas. Ces lambeaux de cuir, encore sanguinolents, furent offerts aux soldats pour qu'ils se confectionnent des mocassins. Plusieurs avaient les pieds meurtris et enflés à force d'avoir marché dans les marécages, sur les pierres et parfois même sur les glaces acérées comme des lames. En ce début de novembre, les mares d'eau gelaient déjà par les nuits froides.

À la fin du jour, les retardataires avaient presque tous rejoint l'avant-garde. Des centaines d'hommes, qu'on sustentait le mieux possible, étaient massés sur la plaine de Sartigan. Des gémissements montaient entre les rires et les cris de joie. Arnold put faire le décompte de ses forces restantes. Il avait perdu en route près de six cents belligérants. Il avait l'air sombre et préoccupé ; comment allait-il pouvoir prendre la citadelle de Québec avec si peu de recrues et dans un si piteux état ? Il espérait que les soldats de Montgomery, en expédition vers Montréal par le Richelieu, avaient connu un meilleur sort. Sinon toute l'opération américaine risquait d'échouer.

Les gens de la région proposèrent à Benedict Arnold de loger les plus malades dans leurs demeures tandis que lui occuperait la résidence désertée du seigneur Gabriel-Elzéar Taschereau. Ce dernier avait fui devant l'imminence de l'arrivée des Américains, et surtout à cause de la forte pression exercée par ses censitaires rebelles plus nombreux que les royalistes. Taschereau avait reçu, le printemps d'avant, une rebuffade des plus énergiques lorsqu'il s'était mis en tête de faire respecter les ordres de Carleton à propos du service militaire obligatoire. À la suite de Pierre Parent, tous les hommes du village s'étaient rangés du côté des insurgés. La femme Parent, forte en gueule, avait quelque chose à voir avec cette belle unanimité révolutionnaire.

Ce soir-là, devant un grand feu de joie, des militaires soulagés et en liesse célébrèrent la vie retrouvée en vidant des cruches d'alcool fort offertes par les Beaucerons et les Abénaquis. Clément, à l'écart, vit Hélène trinquer avec un groupe de Yankees exubérants. Parmi eux, il y avait le soldat au dessin qui se livrait à des prouesses et des bouffonneries pour amuser la foule et séduire Hélène. Clément ne se reconnaissait plus dans sa passivité triste. Normalement, il se serait joint au groupe de fêtards et aurait disputé franchement celle qu'il aimait à ce prétendant. Mais la situation le paralysait. Il faisait face à un rival aimé de sa maîtresse. Il n'avait pas pensé devoir concourir pour gagner le cœur de sa belle Hélène.

On distribua des couvertures chaudes aux hommes gavés de nourriture et d'alcool pour la première fois depuis des lustres. Des chansons anglaises alternaient avec de vieux airs français et des danses autochtones sous une voûte étoilée. Tous avaient de bonnes raisons de fêter. Quand le groupe entonna une valse aux couleurs irlandaises, le soldat yankee fit tourner Hélène dans ses bras. Clément en avait assez vu. Il entra sous sa tente, espérant qu'elle le rejoindrait plus tard, comme d'habitude. Mais il attendit longtemps ce soir-là et trouva la nuit interminable.

Le lendemain matin, Arnold souhaita rencontrer les émissaires de la pointe Lévy. Il voulait qu'on l'instruise de l'état des lieux. Hélène, Clément, Germain Dionne et le chef algonquin furent appelés. Hélène arriva en retard; Clément n'osa pas lui demander où elle avait passé la nuit. Entre eux, une gêne pesante s'installa. Pour sauver la face, ils jouèrent à ceux que les affaires de guerre accaparaient totalement, comme si rien n'était advenu dans leur relation amoureuse.

La dame Parent exigea d'être présente au conseil, elle aussi. Quelques hauts gradés de l'armée américaine protestèrent devant l'inclusion de femmes dans le conseil de guerre de Benedict Arnold. Dans les forces du Congrès, quand les épouses accompagnaient les militaires, c'était pour accomplir les tâches de soutien : la cuisine, le lavage et l'entretien. Sans plus. Mais le général américain n'avait aucune objection à leur présence dans son conseil.

— Elles font souvent de meilleurs soldats que bien des hommes, dit-il. Nous avons besoin de tout le monde pour gagner cette guerre sacrée. Croyez-vous que les gens d'ici vont avoir la même attitude positive que vous tous et qu'ils nous appuieront dans notre combat?

— Au pire, certains risquent de rester neutres s'ils ne combattent pas à vos côtés, expliqua la dame Parent.

Elle ajouta que les opinions étaient très partagées sur la question. L'Église avait une grande influence sur l'attitude des Canadiens. Les robes noires de la soumission, comme les avaient baptisées les autochtones, prônaient la fidélité aux Britanniques, obéissant au mandement de Mgr Briand. Dans les cas de neutralité, on fermait les yeux. La femme Paquette, qui, depuis deux mois, comme tous les Insoumis, allait d'une maison à l'autre pour dénoncer ce qu'elle appelait « les mille impertinences des curés de la *Priest-ridden Province* », prit la parole et déclara d'une voix assurée :

— Votre double discours à propos de l'Église catholique n'a pas aidé votre cause ! Votre Congrès a affirmé une chose dans sa lettre aux gens de la Province de Québec, et une autre dans sa protestation auprès de Londres au sujet du *Quebec Act*. Qu'avez-vous donc pensé, vous, les Yankees ? Qu'on ne lisait pas les journaux ? Les curés en profitent pour faire peur à leurs petits moutons bien dociles en affirmant que vous viendrez les priver de leur religion papiste. On vous accuse d'avoir la langue fourchue et d'être des visages à deux faces ! Qu'est-ce que vous répondez à cela ? lança-t-elle à Benedict Arnold, sans aucune gêne.

Arnold lui donna raison. Ce double langage avait été une grave erreur des siens. C'était une maladresse impardonnable dans les circonstances. Il espérait qu'il n'était pas trop tard pour rectifier les choses. Mais Clément Gosselin rétorqua aussitôt, plus optimiste :

— Mon avis est que nos gens appuieront les soldats du Congrès malgré tout. Nous avons augmenté le recrutement au cours des derniers mois, et les résultats commencent à se voir. Il faudra mettre les bouchées doubles, voilà tout.

Le chef algonquin affirma que la plus grande difficulté serait de franchir le fleuve une fois qu'ils seraient rendus à la pointe Lévy. Il donna la parole à l'émissaire de sa tribu, à qui il demanda de faire de nouveau le récit de ce qu'il avait vu.

Benedict Arnold en prit acte et leur expliqua qu'il avait perdu plus du tiers de ses hommes au cours d'une expédition qu'ils avaient largement sous-estimée : lors du passage en hauteur de la Dead River et des Appalaches, une violente tempête et une crue des eaux inhabituelle les avaient surpris, fauchant de nombreuses vies. La carte que Montrésor avait dessinée en 1761 était erronée : il avait de beaucoup minimisé les distances, les marécages et les pics rocheux à surmonter.

Si Arnold voulait prendre la citadelle de Québec, il y avait deux besoins pressants : d'abord, trouver des bateaux pour transporter les soldats ; ensuite, recruter plusieurs centaines de braves Canadiens pour combler les rangs de son armée amputée de quatre cents guerriers. Les femmes étaient donc les bienvenues autant que les hommes, répétait-il à l'intention des esprits prudents. Il faudrait également se mettre en quête de fusils, de munitions, de fascines et d'échelles de bois pour attaquer l'enceinte de murailles de la ville.

— Tout cela est-il possible ? demanda le général.

— Nous y arriverons ! répondit Hélène, enthousiaste.

Heureuse d'intervenir, elle voulait surtout montrer à Clément que tout son cœur allait à la cause militaire, alors qu'il n'en était rien.

Arnold la regarda avec admiration. Au moment de l'accepter dans son conseil de guerre, il avait dit reconnaître en elle une force de rébellion particulière et une furieuse détermination. C'était elle qui avait mené le convoi de secours qui avait sauvé la vie de ses hommes. Après avoir consulté le chef algonquin, Hélène se porta volontaire pour partir à la recherche des moyens de transport dans le but de franchir le Saint-Laurent. Mais ses traits tirés témoignaient d'une nuit blanche, et Clément s'en rendit compte. Elle s'efforça toutefois d'esquisser un sourire à son intention.

Celui-ci était profondément déçu qu'Hélène cherchât à lui dissimuler sa relation avec le soldat au dessin. Il aurait souhaité plus de franchise. Une jalousie incommodante l'habitait et ne le quittait plus, un sentiment pénible et tout nouveau pour lui. Pourtant, il chassa son angoisse et proposa de se charger avec Germain Dionne du recrutement. Ils pouvaient déjà compter sur un grand nombre d'hommes sur la côte sud et feraient tout pour en trouver d'autres.

— Dès que le gros des troupes américaines arrivera à la pointe Lévy, j'organiserai une assemblée de partisans pour les présenter à la population. À partir de là, je suis sûr que le nombre de recrues s'accroîtra, assura-t-il. Le fait de vous voir en chair et en os, mes amis, agira comme un stimulant précieux auprès de tous nos gens.

L'épouse Paquette déclara qu'elle redoublerait d'effort, à Saint-Pierre, à Sainte-Marie et à Saint-Joseph, pour fouetter le courage des hommes de sa région.

— Je vais leur faire montrer leurs couilles ! lança-t-elle en rigolant à l'intention d'Arnold. Vous ne regretterez pas d'avoir pris des femmes dans vos rangs, monsieur.

Meneuse naturelle, l'épouse Paquette était parmi les membres les plus engagés des Insoumis. Mère de famille corpulente aux pommettes couperosées, elle dégageait une force et une énergie exceptionnelles. Il fallut traduire son langage direct et cru pour Arnold, qui rit aux éclats. Décidément, il appréciait l'humour truculent des habitants du Canada. On se quitta sur cet intermède de grivoiserie enthousiaste.

Les jours suivants, les troupes d'Arnold prirent la route en direction de la pointe Lévy. La marche était difficile et longue à cause des nombreux marécages et des pluies incessantes. Clément vit Hélène partir sans lui adresser un mot. La gêne qui s'était insinuée dans leurs rapports confirmait ses doutes. Incapable de lui avouer sa relation avec le soldat yankee, Hélène avait préféré l'éviter et chevauchait en compagnie du chef algonquin. Bien sûr, sa tâche était urgente et sa responsabilité, très lourde. Cela pouvait justifier son empressement. Elle devait tenter de trouver le plus d'embarcations possible pour la traversée du fleuve.

Une petite délégation d'officiers américains l'accompagnait. Simeon Goodwin était du nombre, et Clément en fut jaloux. Fraîchement rasé, le Yankee portait une veste grise, neuve, celle que Germain Dionne offrait aux nouvelles recrues. Mais le pire, ce que Clément n'arrivait pas à supporter, c'était qu'Hélène fuyait son regard. Elle était distante. Il se dit qu'elle se sentait sûrement coupable de quelque faute envers lui. Il savait très bien laquelle.

Il la vit éperonner sa monture et s'engager sur la route de Beauce, glissante à souhait, sous une pluie verglaçante. Le chemin vers la pointe Lévy, parsemé d'ornières, longeait la rivière tumultueuse, gonflée par les dernières averses. Clément suivit des yeux le cortège de soldats qui accompagnait Hélène, l'esprit habité de tristes présages, l'âme désemparée devant le comportement de sa maîtresse infidèle.

CHAPITRE 2

Automne 1775. Côte sud du fleuve Saint-Laurent.

En quelques jours, ils avaient visité tous les villages indiens du bord du fleuve pour chercher des canots. Hélène se servait des soldats yankees pour prouver à tous, surtout aux incrédules, que les Américains avaient tenu parole. On vivait un grand moment, déclarait-elle avec exaltation, et bientôt toutes les misères qu'avaient fait endurer les Habits rouges aux Canadiens seraient vengées.

Le chef algonquin leur avait expliqué que ses frères avaient perdu des dizaines de bons bateaux, détruits ou volés sur la grève par les marins britanniques, et qu'ils étaient en train d'en construire de nouveaux. Mais il faudrait du temps pour rassembler une flotte capable de transporter plusieurs centaines de soldats d'une rive à l'autre. Arnold avait confié à Hélène de l'argent pour négocier l'achat des moyens de transport. Contre une somme substantielle, les Algonquins avaient accepté de louer plusieurs longs canots d'écorce, des rabaskas qui avaient échappé à la destruction des hommes d'équipage de Cramahé.

Dans les secteurs de la pointe Lévy, Beaumont, Saint-Michel-de-la-Durantaye, Micami et Berthier-sur-Mer, de nombreux sympathisants habiles en menuiserie avaient aidé Hélène. Partout, on s'était mis à travailler à la construction de gros radeaux de mer, des sortes de chalands faits de troncs d'arbres colmatés avec de l'étoupe et du goudron.

Durant ces jours de corvée et de recrutement, Simeon n'avait eu de cesse de quêter auprès d'Hélène un moment d'intimité. Il ne la quittait plus d'un pas alors qu'elle le repoussait avec tendresse, hantée par l'image de Clément, la culpabilité dans l'âme. Tout le long de son aventure en forêt, Simeon n'avait pas connu de femme et il brûlait de faire l'amour à Hélène. Son corps gardait encore la mémoire du sien, de ses courbes parfaites qu'il avait tant de fois célébrées à Boston, aussi bien dans son lit que sur ses toiles. Il ne l'avait jamais trouvée si belle, si appétissante. Il la désirait douloureusement.

Une fin d'après-midi, Simeon et Hélène parvinrent à Berthier-sur-Mer. Ils s'étaient éloignés du grand groupe et se retrouvèrent seuls quand le jour tomba sur le fleuve. La neige avait cessé et les dernières lueurs grisâtres s'estompaient au-dessus de l'île d'Orléans. Hélène, après avoir hésité, se résolut à inviter Simeon à entrer dans la cabane à Gabourie. Clément était parti recruter avec Germain Dionne et Pierre Ayotte. Il n'y avait donc pas de risque qu'il passe au refuge et la surprenne en compagnie du Yankee.

Simeon pénétra dans la cabane et fit un pas vers elle. Il voulut la serrer dans ses bras. Elle le repoussa avec douceur, mais fermement, prétextant devoir jeter quelques bûches dans le vieux poêle pour réchauffer la place.

Hélène était tiraillée. Elle aimait encore Simeon, mais se sentait très mal à l'aise à l'idée de tromper Clément. Elle hésitait et s'en voulait d'avoir une envie folle de se laisser prendre par son ancien amoureux. Il avait tenu parole ; il était venu à sa rencontre. Comment son corps aurait-il pu oublier cet homme magnifique, parti de si loin pour la retrouver ? Comment aurait-elle pu refuser ce peintre qui avait été sa passion pendant des années ?

Elle voyait bien qu'il la voulait plus que tout en cet instant. Elle pouvait lire au fond de ses yeux, et son âme n'avait plus de secret pour elle. Un privilège de tant de grands bonheurs vécus sous ses caresses. Elle se souvenait clairement de toutes ces nuits dans le port, à fêter avec ses camarades rebelles jusqu'au petit matin. Elle n'avait rien oublié des moments passés à poser pour lui, à le regarder peindre avec amour le galbe de son corps : son dos, ses seins, ses hanches magnifiques, dans toutes les postures sorties de son imagination.

Personne n'avait si bien rendu hommage à sa beauté. À cette seule idée, elle sentit un instinct sauvage se réveiller dans son bas-ventre. Elle essaya de se convaincre qu'elle n'était coupable de rien en ouvrant de nouveau son cœur et ses bras à Simeon. Après tout, c'était Clément, le responsable indirect de cette autre relation amoureuse dans sa vie. Elle ne pouvait tout de même pas se reprocher d'avoir aimé Simeon, de le désirer toujours. Et Clément n'avait-il pas lui même deux femmes dans sa vie ?

Simeon, comme par jeu, tenta de l'immobiliser dans tous les angles de la cabane. Hélène riait, lui échappait pour se faire rattraper un peu plus loin. Cette poursuite aux éclats sonores vifs et joyeux se changea vite en prélude à l'amour. Hélène céda aux avances de Simeon, de plus en plus pressantes, se laissa capturer et lui offrit sa bouche. Elle avait un puissant besoin, tout comme lui, d'évacuer la tension nerveuse des derniers jours. Dehors, la neige avait repris de plus belle. Elle se détacha, lui demanda d'attendre et lui versa du cidre fort qu'elle gardait pour une grande occasion en allumant sa vieille lampe à huile. Puis, dans les ultimes lueurs du jour qui coulaient par la fenêtre à carreaux, elle s'abandonna à la poussée irrésistible de son désir.

Même après s'être privé durant des semaines, Simeon se retint d'être emporté par la passion. Il dévêtit Hélène avec une lenteur toute sensuelle. Elle reconnut son regard d'esthète, son émotion devant sa beauté, le feu qui envahissait son corps. Il dégagea d'abord sa poitrine ferme, la caressa de ses paumes larges comme s'il pétrissait de la glaise ou s'affairait à en dessiner parfaitement les rondeurs, puis il délaça son pantalon de peau. Hélène le dévêtit à son tour. Leurs respirations s'amplifièrent, accompagnées par le craquement du brasier dans le poêle.

Les lèvres ourlées d'Hélène étaient entrouvertes, gonflées d'envie, abandonnées à la montée de fièvre qui s'emparait d'elle. Simeon prenait son temps, voulait qu'elle le désire autant que lui la désirait. Lentement, il la fit pivoter, admira sa croupe digne d'une déesse romaine. N'en pouvant plus, il la pencha contre la table et la pénétra tout en parcourant son dos de mille caresses.

Elle tourna la tête, leurs bouches se rejoignirent. Ils parvinrent rapidement au sommet de l'excitation, leurs peaux se couvrant de perles de sueur. Simeon se délivra de deux mois d'abstinence en un grognement presque animal. Hélène, un registre plus bas, s'exprima en feulements sensuels et satisfaits. Ils s'immobilisèrent, les membres lourds et assoupis, et restèrent un long moment imbriqués l'un dans l'autre.

— Je t'aime, Simeon, lui chuchota Hélène. J'étais persuadée de ne jamais te revoir. Mais je n'arrivais pas à t'oublier.

— Mon amour ! lui répondit-il. C'est en pensant à toi que j'ai pu endurer cette aventure inhumaine qui m'a conduit jusqu'ici... Tu es tellement belle que j'aurais bravé toutes les morts pour te retrouver.

Il l'embrassa avec douceur. Les deux amants réunis par le destin se donnèrent toute la tendresse du monde.

⁓

Dehors, grelottant dans son manteau de laine grise, Laurent Descôteaux avait tout vu. Une fois de plus, il avait accompagné de sa jalousie démente les moindres gestes amoureux. Depuis qu'il s'était enrôlé dans le camp des rebelles, sa frustration n'avait cessé de grandir. Les doux yeux d'Hélène n'avaient jamais montré ne serait-ce qu'une parcelle de tendresse à son égard malgré son engagement. Il se demanda s'il n'avait pas surmonté toutes ses peurs pour rien.

Laurent avait suivi Hélène et Simeon depuis leur passage au village de Berthier, où ils avaient trouvé des logements pour les soldats qui les accompagnaient. Une chose lui semblait certaine : la déesse dont il était épris se permettait plusieurs amants. Il avait souvent épié ses ébats avec Clément. Toutes ces nuits de guet avaient été pour lui des supplices mêlés d'érotisme. Il n'arrivait pas à arracher cette femme de son âme noyée de désirs inassouvis. Et il en mourait de n'avoir jamais pu la tenir dans ses bras comme l'avaient fait Clément et ce Yankee dont il ignorait encore le nom.

Il s'imaginait à la place de l'amant, serrant contre lui cette silhouette parfaite qui alimentait ses pensées brûlantes. Des images inventées qui l'excitaient et le tuaient en même temps. C'était comme si un autre lui volait sa femme et qu'il y prenait plaisir malgré tout. Quand il sortait de ses séances de voyeurisme, il se retrouvait vide, face à lui-même et totalement honteux.

Pourtant, en cet instant et pour la première fois, il se sentit moins seul à souffrir ! Il partageait son mal avec Clément, ce sentiment affreux de perdre sa douce au profit d'un autre. Il tira de sa poche intérieure un flacon et ingurgita une rasade démesurée pour engourdir sa peine. Il en but une seconde gorgée pour Clément. Le destin lui était injuste et cruel, conclut-il. Laurent repartit sur le sentier glacé, transi, en maudissant la vie de n'être ni Clément ni l'Américain.

CHAPITRE 3

Automne 1775. Pointe Lévy.

La giboulée tombait dru en ce mois de novembre. De gros flocons mouillés et vite fondus couvraient la terre encore blonde de ses herbes d'automne. La plupart des soldats d'Arnold étaient arrivés à la pointe Lévy au cours des derniers jours et avaient été hébergés dans les maisons chaudes des habitants. On avait laissé derrière les plus mal en point pour que les sympathisants nombreux de Sartigan et de Sainte-Marie les soignent. Rétablis au bout de quelques jours, les miliciens avaient maintenant presque tous rejoint leurs frères d'armes.

Benedict Arnold avait installé ses quartiers généraux au moulin récemment construit par Henry Caldwell. Du blé et de la farine y étaient entassés, et on en offrit vite aux soldats éprouvés afin qu'ils refassent leurs forces. Un des employés de Caldwell, John Halstead, fut nommé commissaire général des vivres de l'armée du Congrès. Les Canadiens, acquis à la cause des Américains, y apportaient, à sa demande, des aliments en abondance. Au moins, les Américains venus les libérer ne mourraient pas de faim ! Certains fournisseurs exigeaient d'être payés, d'autres faisaient carrément don de leurs biens. Même ceux qui se disaient neutres n'étaient pas si désengagés qu'ils le prétendaient ; plusieurs offraient des vivres en cachette à cette armée de braves qui allaient se battre à leur place.

À partir de Saint-Thomas de Montmagny, on avait vu arriver, depuis la veille, un impressionnant défilé de voitures se dirigeant vers la pointe Lévy, où Clément Gosselin et Germain Dionne souhaitaient tenir leur grand rassemblement. Il y avait des délégations importantes de la plupart des villages de la région. Les hommes s'étaient avérés des recruteurs déchaînés. Maintenant qu'existait réellement l'occasion de faire battre en retraite les Britanniques, ils avaient redoublé d'ardeur et trouvé des arguments nouveaux et convaincants. Germain distribuait vêtements de combat et fusils aux hommes qui n'en avaient pas. Clément, lui, leur assurait un bon salaire, que paieraient volontiers les Américains.

Pour oublier son échec amoureux, Clément avait multiplié les efforts, devenant un recruteur plus redoutable que jamais. Parfois, il montait même le ton et menaçait les habitants réfractaires de tous les châtiments ! Germain n'était pas à l'aise quand Clément évoquait des représailles. Il jugeait que son gendre était bien irascible depuis quelques jours. Mais le jeune homme ne s'arrêtait devant rien : il lui fallait le plus de miliciens possible pour gagner la guerre et tenir la promesse faite à Arnold. Le vent avait désormais tourné, et tous, pensait-il, devaient maintenant se rallier. Faute de mener la vie amoureuse dont il avait rêvé, l'homme au tricorne était à présent exalté et occupait pleinement son rôle.

Des habitants, venus de gré ou de force se joindre à l'armée du Congrès, avançaient en cortège sur la route. Dix adultes et jeunes gens de Saint-Pierre-de-la-Rivière-du-Sud, dont Laurent Descôteaux, étaient du nombre. La moitié des habitants de Saint-François, ceux qui étaient en mesure de porter les armes, suivaient, ainsi que ceux de Berthier-sur-Mer, de Saint-Vallier de Bellechasse, de Saint-Michel et de Saint-Charles. Beaumont, Saint-Henri et la pointe Lévy avaient envoyé tous leurs paroissiens en état de combattre. La grosse femme Paquette, elle, était accompagnée d'une délégation imposante de « volontaires ». Elle leur tenait le moral au chaud avec de la bagosse, un alcool du pays à base de pommes de terre, et leur faisait chanter *Malbrough s'en va-t-en guerre*. Les Américains, reconnaissant la mélodie, reprenaient le refrain dans leur langue : *For He's a Jolly Good Fellow*.

Tout ce monde enrôlé par les recruteurs se dirigeait vers l'anse aux Sauvages, au pas et les armes à la main. C'est à cet endroit que Clément avait décidé de tenir sa grande convention militaire. La grève, longue et vaste en ce lieu, pouvait contenir plusieurs centaines d'hommes. Le but de la rencontre était de faire découvrir à tous leur nombre imposant et, surtout, d'achever de convaincre et de motiver ceux à qui Clément avait un peu tordu le bras.

Il avait insisté auprès du haut commandement d'Arnold et souligné l'importance de cette réunion pour les troupes. Le général lui avait promis d'y amener ses soldats pour que tous voient de leurs yeux les Américains et se sentent appuyés. Vieux routier de la vie militaire, il connaissait bien, lui aussi, la portée de ces rassemblements sur le moral de son armée.

Environ cinq cents Américains se pointèrent bientôt en rangs serrés à l'anse aux Sauvages. Des cris et des hourras retentirent dans les rangs des recrues. Avec l'arrivée des Yankees, la masse de soldats devenait impressionnante. On pouvait dénombrer plus de sept cents hommes sur la grève. Les Canadiens se demandaient toutefois comment ces militaires bigarrés, venus de Boston en parcourant rivières et montagnes, allaient survivre au froid dans des vêtements aussi inadaptés. Ils avaient couvert leurs camisoles ou leurs chemises de coton avec des vareuses de fortune sans véritables doublures, dénichées au gré des échanges ou des dons. Ils n'avaient, pour la plupart, ni gants ni tuques, mais portaient des chapeaux élimés sur lesquels ils avaient épinglé des inscriptions : *Liberty or Death* ou encore *British Go Home*. Le plus grave était l'état de leurs pieds ; la plupart étaient chaussés de mocassins de miséreux : des peaux de bêtes ou des guenilles attachées avec des cordes ou de la babiche.

Clément prit la parole le premier et remercia chacun d'être au rendez-vous. Il présenta Benedict Arnold à tous. Le militaire dit quelques mots en anglais, et ses hommes exultèrent. Les Canadiens, pour la plupart, n'y comprirent rien. Finalement, le général américain leva bien haut les bras de Clément et de Germain pour signifier d'un geste simple qu'il considérait leurs chefs comme des héros et qu'ils formaient une grande famille. Il brandit également celui d'Hélène pour affirmer aux yeux de tous que les femmes, elles aussi, étaient bienvenues parmi les rebelles. Il y eut des sifflements dans la foule. Une voix s'éleva du côté des recrues. C'était Augustin Fournier de La Pocatière.

— Croyez-vous vraiment que nous allons pouvoir venir à bout des murailles de la citadelle avec quelques centaines d'hommes aussi mal équipés ? lança-t-il.

Le silence se fit subitement. Tous les participants réunis au bord du fleuve ressentirent du coup leur petit nombre. La citadelle impressionnante semblait les narguer au loin, du haut de son promontoire. Fournier avait parfaitement raison de poser la question. Face à leur but, que pouvaient des soldats aussi mal attifés ? Les deux navires anglais qui allaient et venaient sur le Saint-Laurent ajoutaient à l'énormité du défi, interdisant toute tentative de traversée.

— Nous sommes plus de sept cents en armes, répondit Clément en exagérant à peine.

— Oui, mais ils ont des canons et des navires. Ils sont bien protégés, à l'abri derrière des murs de trente pieds de haut, reprit un autre.

— Nous avons des échelles de bois, des fusils, des munitions. Qu'est-ce qu'il te faut de plus ? le relança Clément.

— Des canons et des boulets, rétorqua Augustin Fournier.

Le coup porta. Effectivement, ces hommes, venus de loin, n'avaient pu transporter des pièces d'artillerie lourde sur des miles, en pleine forêt, avec cascades et pics à franchir. On avait déniché sur place trois canons rouillés et un vieil obusier qu'on avait installé en batterie à la pointe des Pères, juste là où Wolfe, seize ans plus tôt, avait eu tant de succès avec les siens. La terre étant déjà gelée, on avait élevé des épaulements pour protéger les artilleurs en entassant les premières neiges, qu'on arrosait le soir venu pour en faire des forts de glace.

Hélène comprit que les timides gagnaient lentement la bataille des arguments. Elle s'avança sur la grande charrette à foin servant de tribune et où elle se tenait en retrait depuis les premières salutations. À la vue de cette femme superbe, les quelque sept cents miliciens assemblés sifflèrent de nouveau et hurlèrent leur enthousiasme. Hélène inspira profondément pour calmer sa panique ; c'était la première fois qu'elle parlait devant une telle foule. Pendant un bref instant, elle eut l'impression que son père Marc-Antoine la portait, comme le vent qui prend l'oiseau sous ses ailes. Elle leva les bras bien haut et fit taire l'assistance d'un geste autoritaire.

— Quand allez-vous cesser de vous plaindre et de compter les moyens qui vous manquent ? cria-t-elle. Nous avons le principal : nous avons du cœur au ventre ! Les Américains ont vécu l'enfer au nom de la liberté. Rappelez-vous les morts, les blessés, les brûlés que nous devons, nous autres, à ces maudites Tuniques rouges ! Et croyez-moi, vous pourrez les battre à mains nues ! Nous sommes plus de sept cents ici, en armes et en colère. C'est bien suffisant pour aller flanquer la trouille à tous ces minables incendiaires venus d'Angleterre. Mes amis, regardez ces fiers soldats yankees, ces *Patriots* ! Ils sont peut-être mal habillés, mais ils ont affronté la forêt, la montagne, la famine et la misère pour libérer leur pays de ces dominateurs. Ils sont admirables. Vous autres, vous n'avez que le fleuve à traverser. De quoi vous plaignez-vous ?

L'excitation revint et remonta, palpable. Des cris de guerre fusaient de partout, autant chez les recrues canadiennes que dans les rangs des soldats d'Arnold, qui venaient de sentir le vent tourner. Simeon, qui tenait lieu de soutien moral des troupes depuis déjà quelques mois, s'autorisa à grimper rejoindre son chef pour traduire les propos d'Hélène. Il ajouta :

— Quand nous avons cru mourir en traversant la Dead River, lorsque nous avons perdu l'espoir après des semaines de jeûne, nous nous sommes relevés. Vous souvenez-vous comment ? En nous rappelant pourquoi nous sommes venus jusqu'ici. En pensant à nos femmes, nos parents, nos frères, nos enfants. Eh bien, Québec est là, devant nous, mes amis. Nous avons gagné à Lexington et à Concord. Montgomery, avec des milliers de *Sons of Liberty*, nos frères, marche à notre rencontre en passant par le Richelieu et Montréal. Bientôt, nous serons nombreux et invincibles. Il nous restera à courir chercher cette victoire finale que nous avons bien méritée. Vive la liberté !

À ce dernier mot, il souleva sa calotte et la lança dans les airs. Les cinq cents soldats bostonnais l'imitèrent en hurlant à l'unisson :

— *Liberty, liberty, liberty !*

L'emballement était communicatif, et toutes les recrues de Clément Gosselin crièrent à leur tour :

— Liberté ! Liberté !

Hélène contempla Simeon avec une admiration évidente. Clément, lui, reconnut l'homme, et son orgueil fut une fois de plus à vif. Hélène s'approcha de l'Américain et lui leva la main bien haut en signe de victoire. Il y avait une familiarité et une communion dans son geste qui n'échappèrent pas à Clément. Il ne prisait pas du tout la proximité entre le Yankee et la femme qu'il aimait. Il avait entretenu quelques doutes, mais, maintenant, il était certain qu'ils étaient redevenus amants. Hélène, heureuse et souriante, enchaîna :

— Grâce à nos frères algonquins et aux charpentiers de chez nous, nous avons rassemblé quarante embarcations. Elles vous attendent, dissimulées dans les grottes à l'embouchure de la rivière Chaudière.

Au loin, sur le fleuve, on pouvait voir le *Lisard* exécuter ses manœuvres.

— Nous allons devoir traverser en trompant la surveillance de ces bateaux remplis d'incapables. Ce ne sera pas très compliqué.

— Quarante barques ! Ce ne sera jamais suffisant pour transporter sept cents hommes, cria Augustin Fournier, réaliste.

— Nous devrons faire au moins trois voyages. Et il faudra ramer de nuit avec discipline, sans faire de feu ni de bruit. Allez tous vous reposer maintenant. Les ordres de départ vous parviendront.

Tous les hommes regagnèrent leurs sites d'hébergement. Ayotte et Gosselin, aidés de la femme Paquette, s'occupèrent de trouver des lieux d'asile pour les recrues canadiennes. En moins d'un quart d'heure, l'assemblée se démantela ; les participants avaient hâte de rentrer, car le vent de novembre s'était levé et se faisait coupant.

Laurent Descôteaux était en état d'ivresse avancée. Quand il vit Clément passer devant lui d'un pas pressé, le front barré d'une ride profonde, il l'interpella.

— J'ai beaucoup d'admiration pour toi, Clément…, articula-t-il avec difficulté. Pour ça… Bien, justement, je vais te rendre un petit service, mon ami. Ton Hélène, elle n'a jamais rien voulu savoir de moi… Elle t'a toujours été fidèle. C'est tout à ton honneur. J'en suis jaloux, tu peux me croire. Mais là, si tu veux la vérité, elle te fait cocu, ta belle Hélène !

Ses paroles lancées, Laurent regarda un moment Clément, puis se détourna et disparut en titubant avec un mauvais rire. Clément se demanda s'il avait bien compris. Il pensa rattraper Laurent et le gifler, mais finalement se convainquit que l'autre était soûl et ne savait plus ce qu'il disait, la jalousie lui faisant raconter n'importe quoi. Pourtant, au fond de lui, Clément devait se l'avouer : les propos de Laurent venaient de confirmer ses propres doutes.

༄

Voulant mettre la main aux derniers préparatifs et arrêter une stratégie d'embarquement, Benedict Arnold avait invité tous ceux qui avaient pris la parole devant l'armée à le suivre vers son quartier général. Le premier étage du nouveau moulin dégageait des odeurs de froment agréables, malgré l'humidité et la fraîcheur des lieux. On s'y installa autour d'une table, improvisée avec un large panneau de bois qu'on avait posé à la hâte sur des sacs de farine pansus. Arnold demanda à Hélène de servir d'interprète. Il avait remarqué que son anglais était bon lorsqu'elle échangeait avec Simeon.

Clément n'aimait pas du tout le sourire poli de ce dernier quand il croisait son regard. Il détailla son visage : des cheveux longs, brun foncé, et une élégante moustache lui donnaient une magnifique tête d'artiste et de bohémien. Des yeux noirs, profonds et rieurs, lui conféraient une détermination de battant et de rebelle, ce qui était tout à fait susceptible de plaire à Hélène. Clément avait été très ébranlé par les révélations de Laurent Descôteaux ; il percevait de plus en plus le Bostonnais comme un rival. Il avait compris depuis qu'il les avait vus ensemble qu'Hélène était amoureuse de cet homme, mais il avait nié longtemps qu'ils puissent partager la même couche. Cette perspective était trop douloureuse.

Arnold exprima tout d'abord ses déceptions. Il s'attendait à beaucoup plus de soutien de la part des Canadiens. Il espérait qu'ils seraient des milliers, et il en avait compté moins de deux cents. Simeon renchérit : il avait cru que tout un peuple accompagnerait les siens. Hélène, toujours incapable de regarder Clément dans les yeux, traduisit les mots du Yankee. Clément lui fit signe d'un geste brusque de la main qu'il avait déjà très bien compris : Germain Dionne, marchand, négociait souvent avec des commerçants de langue anglaise et lui en avait appris les rudiments. Agacé, il parla avec colère en montrant Simeon du doigt :

— Je te trouve bien ingrat, Yankee ! Si tu savais l'effort que j'ai dû fournir, avec Ayotte et Dionne, pour mettre debout ces deux cents Canadiens, tu applaudirais au lieu de te plaindre !

— Pourquoi sont-ils si peu nombreux ? demanda Arnold.

— Pour toutes sortes de raisons, reprit Clément, humilié d'être interrogé devant le soldat dont il reconnaissait maintenant l'intimité avec Hélène. Plusieurs ne vous croient pas quand vous affirmez que vous allez leur laisser le droit à leur religion.

Les curés se servent de vos positions contradictoires sur ce sujet. D'autres ont peur de l'excommunication dont les menace Mgr Briand. Et beaucoup se rappellent encore qu'il y a seize ans à peine c'est vous qui tiriez du canon sur eux et mettiez le feu à leurs maisons ! Des rumeurs courent. On dit que, du côté de Montréal, vos troupes n'arrivent même pas à prendre le fort Saint-Jean avec des milliers d'hommes. Ethan Allen a été fait prisonnier par Carleton et exilé en Angleterre. Nous ne sommes sans doute pas aussi nombreux que vous le souhaiteriez, mais je peux vous assurer que ceux qui refusent de combattre avec vous n'accepteront pas non plus de se battre pour les Britanniques. Ils resteront neutres, car ils considèrent que votre chicane en est une entre Anglais. D'autres attendent de voir si vous avez les moyens de vos ambitions ; cela explique qu'ils vous offrent malgré tout un important soutien alimentaire. Beaucoup, par ailleurs, sont tout bonnement fatigués de la guerre. Ils en ont assez des morts, des éclopés et des défaites. Les Britanniques, par crainte de votre rébellion, ont pratiqué auprès d'eux la douceur, épongeant même parfois une partie des anciennes dettes contractées envers eux par la France, les laissant vivre sur leurs terres : ils ne veulent plus en sortir à présent. Ces gens ont eu plus que leur part de violence depuis vingt ans !

Le discours de Clément était empreint d'une mauvaise humeur qui valait bien celle de Benedict Arnold. Hélène traduisit du mieux qu'elle pouvait tout en s'inquiétant du ton agressif de Clément. Celui-ci avança vers Simeon et montra du doigt sa veste qui n'avait pas de doublure.

— Au lieu de vous plaindre de notre manque d'appuis, vous pourriez regarder dans quel état vous vous êtes rendus ici, dit-il. Voyez comment vos hommes sont accoutrés. Croyiez-vous gagner cette bataille avant que l'hiver arrive ? Vos compagnons d'armes ne tiendront pas une semaine avec le froid qu'il fait chez nous. Vous vous amenez à Québec avec à peine cinq cents soldats en pensant venir à bout de l'une des plus imprenables forteresses d'Amérique. Et là, vous déclarez que nous ne vous aidons pas suffisamment ! Ce n'était pas vous qui deviez nous délivrer ? Ce n'était pas ce que nous promettaient vos lettres, l'une après l'autre ?

Arnold ne trouva pas grand-chose à répondre. Il partit d'un grand éclat de rire pour détendre l'atmosphère.

— Vous avez raison à plusieurs égards. Le Congrès pensait véritablement pouvoir prendre Québec très rapidement, avant l'arrivée de la neige. Je suppose que je devrais plutôt vous remercier pour l'aide que vous nous avez apportée depuis Sartigan. Vous bénir pour ces deux cents hommes précieux que vous nous avez trouvés. Vous louanger même pour ces quarante embarcations que vous nous avez généreusement dénichées. Allez, trêve de reproches. Nous sommes tous un peu nerveux. Nous traverserons le fleuve durant la nuit. Je vais dire aux hommes de dormir tout habillés et de se tenir prêts.

Clément signifia à Hélène qu'il voulait lui parler. Simeon les salua et sortit. Hélène n'avait jamais vu Clément aussi en colère. Il avait pris Simeon pour cible. Elle avait déjà deviné qu'il ne portait pas le Yankee dans son cœur, mais elle comprit alors que Clément se doutait de quelque chose au sujet de sa relation avec l'Américain. Elle se rendit compte, tout à coup, que ses deux amants s'opposaient comme des vents contraires. Tout pouvait basculer pour elle ; la situation ne saurait durer. Elle allait très bientôt devoir prendre une décision déchirante, ce qu'elle avait évité de faire jusqu'ici.

Ils restèrent donc seuls dans le moulin, Arnold étant parti communiquer ses ordres pour la nuit à tous ses subalternes. Le silence emplit les lieux. Le temps passait, et ni l'un ni l'autre ne parlait. Hélène savait qu'elle avait des comptes à rendre à cet homme, car ils n'avaient eu aucun rapport intime depuis qu'elle s'était jetée dans les bras de Simeon à Sartigan. Elle devinait surtout que toute parole soulèverait une tempête dans sa vie.

Clément lui tournait le dos et regardait par la fenêtre étroite percée dans le mur de pierre du moulin. Dehors, la nuit était calme et le ciel, noir comme de l'encre.

— De quoi veux-tu me parler ? demanda-t-elle.

— Il est quoi, à tes yeux, cet Américain qui a un portrait de toi sur son cœur ?

Il l'avait interpellée sans bouger ni la regarder, comme pour lui faciliter la réponse. Elle resta interdite un long moment. La question était directe, affreuse. Il fallait qu'elle réplique. Allait-elle lui dire la vérité ? Valait-il mieux inventer une histoire ?

Non ! Le mensonge était exclu entre eux. Elle le respectait trop pour lui mentir. Elle aurait vraiment voulu ne jamais vivre cet instant douloureux, elle qui aimait Clément depuis toujours et ne souhaitait surtout pas lui faire de mal. Elle le sentait torturé et aurait préféré l'enlacer pour le rassurer. Mais elle aimait aussi Simeon. Tous les deux étaient de vrais hommes, debout, capables de tout au nom de la liberté. Ils étaient également beaux et désirables à ses yeux.

En réalité, elle ne savait pas du tout quoi faire. Elle n'avait rien voulu de tout ça. C'était arrivé, et voilà tout. Elle avait l'impression d'avoir un cœur de porcelaine qui allait éclater en mille morceaux d'un instant à l'autre, fracassé par la vie.

— Je l'ai connu à Boston. J'étais seule là-bas et... toi... tu n'étais plus avec moi.

— Tu l'aimes encore ? demanda-t-il en gardant toujours son regard rivé sur la nuit noire.

— Crois-tu qu'on peut oublier aussi facilement ceux qu'on a aimés, Clément ? Tu m'avais laissée tomber. Tu m'avais sacrifiée pour une nouvelle femme. J'étais loin de toi, l'âme vide, remplie de larmes. J'avais besoin de quelqu'un. Je devais ressusciter. Et cet homme est arrivé dans ma vie avec du soleil plein les mains, dans tous ses fusains et ses pinceaux. Et il m'a dit que j'étais belle, qu'il m'aimait... Qu'aurais-tu fait à ma place ?

Hélène tremblait presque en se confiant. Elle lui décrivait un amour qu'elle avait vécu sous les caresses d'un autre. Elle savait que chaque mot qu'elle prononçait devait lui causer un mal atroce. Elle se voyait obligée de le blesser pour répondre à ses questions et être honnête avec lui.

— Pourquoi m'as-tu rouvert tes bras à l'été, lorsqu'on s'est revus ? lui demanda-t-il.

— Parce que tu m'as suppliée. Et… pour la bonne raison que… je suis attachée à toi aussi, Clément. Je t'ai toujours aimé. Tu as été le premier dans mon cœur et je n'en aurais jamais cherché un autre si tu m'avais gardée. Je ne savais pas du tout, à ce moment-là, que j'allais retrouver Simeon un jour. C'était même très improbable.

— Tu vas devoir choisir, maintenant.

Il s'arracha à la fenêtre subitement et la regarda droit dans les yeux. Il la défiait de toute sa souffrance. Soudain, il vit ses grands yeux gris s'emplir de larmes. Elle était encore plus belle avec l'émotion qui ravageait ses traits. Elle pleurait de lui faire du mal. C'était lui, au fond, le coupable. C'est lui qui avait provoqué cette impasse. S'il ne l'avait pas quittée, cinq ans auparavant, elle ne se serait pas retrouvée dans cette situation affreuse de devoir trancher entre lui et l'autre.

— Je ne peux pas choisir comme ça, sans réfléchir, c'est impossible. C'est un cœur que j'ai là, dit-elle en posant la main sur sa poitrine, et rien n'est aussi simple que tu le crois. Je t'aime toujours, Clément. Je t'en assure. Peux-tu comprendre cela, au moins, et me donner du temps ?

— Tu dis m'aimer. Mais tu l'aimes, lui aussi. Moi, je te veux à moi. Je ne peux pas partager la femme que j'aime avec un autre. Je te veux tout entière ou rien. Je refuse de ne posséder que la moitié de ton amour.

— Tu m'as bien demandé d'accepter de te prendre en sachant qu'une partie de toi appartiendrait désormais à Marie-Beuve et à tes enfants ! Moi aussi, comme toi, je traîne un passé. Une histoire que je n'aurais jamais vécue si tu ne m'avais pas quittée.

— Il faudra bien que tu choisisses : lui ou moi. Je n'ai pas ta générosité.

— Donne-moi du temps, alors. J'ai besoin de réfléchir, répéta-t-elle.

Il ne répondit pas. Il s'éloignait déjà vers la sortie. Il ne se retourna pas. Il poussa la lourde porte de bois d'un geste brusque, et le vent froid s'engouffra dans le moulin. Hélène eut l'impression de le perdre, de se faire arracher l'âme avec des tenailles rougies au feu de forge. Le portail claqua comme un mauvais coup du sort s'abattant sur elle.

Seule au moulin, elle décida d'y passer la nuit. Triste à mourir d'en être réduite à devoir faire un choix si déchirant. Pour une fois dans sa vie, elle avait le goût de fuir au lieu d'affronter la situation. Les deux options que la vie jetait devant elle lui fendaient également le cœur. Il n'était pas question qu'elle retourne chez sa cousine Louise comme la dernière fois pour réfléchir. Le combat de sa vie cognait à la porte. Le grand soir était proche. Elle vit la cruche de bagosse du meunier sur la tablette où étaient rangés les quelques condiments et la main à sel. Elle s'en versa un plein gobelet en espérant que l'alcool engourdirait son mal et lui offrirait l'oubli momentanément.

L'eau-de-vie fermentée à l'excès réchauffa son âme. Elle se coucha sur des sacs de farine empilés le long du mur circulaire et essuya ses larmes. Très vite, sa tête se mit à tourner. Elle revoyait la scène entre Simeon et Clément, leurs deux visages agressifs. De ces hommes, elle avait toujours apprécié la douceur et la tendresse. Mais Clément, les dents serrées et les lèvres amincies par la colère, avait parlé sur un ton qu'elle ne lui connaissait pas, en plantant son index insolemment sur la poitrine de l'Américain. Simeon postillonnait en répliquant aux reproches de l'homme au tricorne.

Soudain, les paroles du vieux Muraco lui revinrent en mémoire. Des mots alarmants prononcés presque cinq ans plus tôt par le chaman en transe refirent surface, avec la force du destin, comme toute la scène dans le tipi : amulettes, peaux tendues, serpes, herbes séchées, instruments de toutes sortes, lièvre éventré entre les jambes du sorcier, bougies vacillantes donnant aux décors des allures fantomatiques. Elle réentendit les oracles qui l'avaient effrayée cette nuit-là et les visions horribles de Muraco qu'elle avait vite balayées d'un geste de déni :

— Qu'est-ce que tu vois ? Parle ! lui avait-elle crié sur un ton angoissé.

— Il y a deux hommes ! Ils se battent comme des loups. Je vois aussi des frères qui s'entre-tuent, des guerres fratricides, beaucoup de guerres qui font des quantités de blessés et de morts... Et tout cela finit mal, très mal.

Il s'était interrompu, comme si sa vision d'horreur le rendait muet.

— Tu tueras un homme, on t'accusera et tu seras punie. On te conduira vers un supplice affreux... pauvre misérable... et tu enfanteras dans la solitude et le désespoir.

« Il y a deux hommes ! Ils se battent comme des loups. » Ces phrases n'arrêtaient pas de tourner dans l'esprit d'Hélène. Le vieux Muraco avait donc vu juste. Il n'en faudrait pas beaucoup pour que ses amants en viennent aux coups. Elle fut soudain emplie de frayeur devant la pertinence de cet oracle.

Elle se leva et se versa de nouveau à boire. L'alcool l'engourdissait et la calmait un peu. Si le chaman avait eu raison pour ce qui était du rapport tendu entre ses amants, ses autres prédictions allaient-elles s'avérer, elles aussi ? Tuer un homme, de cela, elle se sentait totalement incapable. De quel geste affreux pouvait-il être question ? Et allait-elle vraiment enfanter dans la solitude et le désespoir ?

L'alcool faisait son effet. Ses membres devinrent de plus en plus lourds et sa respiration, plus lente. L'étrange tempête de peur qui s'était levée dans son esprit lorsqu'elle s'était rappelé les paroles du sorcier se calma peu à peu. Elle finit par s'assoupir sur des pensées confuses où se mêlaient des images de Muraco, de Simeon et de Clément, de supplices sordides et de loups qui s'entre-dévoraient. Quand elle s'endormit pour de bon, son âme de femme amoureuse, pleine de douleur et d'inquiétude, avait repris toute la place en appelant l'oubli.

CHAPITRE 4

Automne 1775. Embouchure de la rivière Chaudière.

La nuit était noire comme le néant. Il n'y avait presque pas de vent et la marée baissait. Le calcul des courants, Halstead et Arnold l'avaient effectué avec grande précision. C'était une soirée parfaite pour une traversée incognito. Vers deux heures du matin, les soldats commencèrent à arriver à l'embouchure de la rivière Chaudière. Les Indiens sortirent les embarcations des cavernes naturelles creusées dans les rochers riverains, où elles avaient été remisées au cours des derniers jours.

Ils s'affairaient aussi à montrer aux passagers les positions à prendre au fond des grands canots d'écorce de bouleau. Il y en avait quinze, de bonnes dimensions, capables de recevoir huit hommes à la fois. Les vingt-cinq autres bateaux étaient plutôt des chalands faits de grosses billes de bois équarries et calfeutrées à l'étoupe. Certains étaient assez larges pour y loger même des armes lourdes.

Les troupes avaient traîné jusqu'à la rive les trois canons et l'obusier depuis la pointe Lévy. Arnold voulait occuper le canot de tête avec ses principaux subalternes, dont le capitaine Morgan. Clément et Hélène étaient aussi du nombre, car on avait besoin de guides sûrs pour le débarquement. Un rabaska rempli d'Algonquins précédait la procession des barques. Il fallait du savoir-faire, car les manœuvres seraient délicates.

Les ordres étaient de n'allumer aucune lanterne, aucune torche, et de pagayer dans un silence absolu. On avait enrobé les rames avec une étoffe feutrée pour que les coups soient plus étouffés. Il fallait aussi s'abstenir de les frapper sur le bord des embarcations, car le bruit pourrait donner l'alerte aux navires sentinelles des Britanniques. Ces vaisseaux ennemis étaient toujours ancrés au large, à l'est de la Chaudière, dans le but de bloquer le passage vers Québec.

Quelques jours auparavant, on avait fait prisonnier un marin, membre d'équipage du sloop anglais. Il s'était approché de la rive sans se méfier, avec l'intention de détruire une barque, placée là comme appât par les Américains. On l'avait questionné et il avait informé Arnold des coutumes sur le bateau.

Depuis sa dernière discussion avec Hélène, Clément était glacial avec elle. Il affichait un air désolé et soucieux. Les seules phrases qu'ils échangeaient concernaient l'expédition et ses dangers, notamment la bonne nouvelle qu'Arnold venait de recevoir. Deux miliciens de la région de Montréal étaient arrivés et portaient un message de Montgomery. Celui-ci annonçait qu'il était sur le point de soumettre Montréal. Après le fort Saint-Jean, capturé le 18 octobre, la réserve de Chambly venait finalement de capituler, et la voie était maintenant libre pour prendre Montréal. Ethan Allen s'y était essayé, mais la ville lui avait résisté. Hélène se rappelait avoir été témoin de cette défaite des Yankees, qui avait retardé son retour de Montréal. Allen, bras droit de Montgomery, avait été attrapé et exilé en Angleterre.

Cette fois-ci, Carleton avait déserté la cité avec ses hommes, fuyant en direction de Sorel, poursuivi par l'armée américaine. Les marchands de Montréal, sous la direction de Thomas Walker, préparaient déjà l'acte de reddition de la ville. Sans grands moyens de défense, entourée de remparts négligés et réparés à la hâte, Montréal n'allait pas tenir longtemps. Cela voulait dire aussi que les renforts du Congrès, très en retard, pourraient enfin se mettre en route vers l'objectif final : Québec. Arnold, qui se trouvait en manque de tous les hommes perdus lors de son expédition catastrophique, s'était montré particulièrement réjoui par cette nouvelle.

Les premiers bateaux glissèrent, silencieux, sur l'eau noire, profonde et mystérieuse. La marée était descendante et le courant emportait les embarcations en aval de l'embouchure de la rivière Chaudière, ce qui permettrait d'atteindre l'anse au Foulon, de l'autre côté du fleuve obscur, à l'endroit même où Wolfe avait déployé ses troupes d'Habits rouges en 1759. Les quarante radeaux et canots se suivirent, sans aucun bruit de rames, et glissèrent à proximité des navires anglais, à l'ancre. Tous retenaient leur souffle. La dernière barque, déviée par la poussée du vent et le courant fort, frôla dangereusement la frégate anglaise puis la percuta avec un son sourd. Il ne se passa rien, fort heureusement.

Hélène ne distinguait de Clément que l'arrière de sa tête, coiffée de son éternel tricorne. Elle était triste de n'avoir plus aucune attention de sa part. Elle le voyait s'éloigner d'elle pour éviter d'être blessé davantage. En ce moment, si près du but, elle aurait tant souhaité le sentir plus proche d'elle. Ils étaient à deux doigts de réaliser ce rêve qu'ils avaient porté ensemble depuis leur adolescence, ce projet sacré de bouter les Britanniques hors de chez eux. Dans la nuit froide, la culpabilité coulait dans ses veines comme de l'acide. Elle n'avait jamais voulu que les choses se passent ainsi. Elle avait toujours adoré cet homme qui l'ignorait maintenant, l'abandonnant à sa solitude au moment ultime de leur croisade.

Simeon, passager d'un canot derrière le sien, l'aimait-il suffisamment pour que cela vaille la peine de sacrifier Clément ? La question lui vrillait l'esprit. Elle voyait bien que son hésitation à choisir risquait de lui faire perdre l'un et l'autre de ses amants. Il faudrait qu'elle interroge Simeon sur ses intentions véritables. Était-elle aussi importante pour lui que Clément l'était pour elle ? Était-elle la femme de sa vie ? Cet artiste, au tempérament magnifique et désinvolte, ce créateur passionné, orgueilleux de sa liberté, était-il capable d'un minimum d'engagement envers elle ? Avait-il d'autres flammes ailleurs, dans son pays américain ? Il faudrait qu'elle le sache. Et vite.

Les bateaux touchèrent enfin la grève. Les Algonquins avaient bien calculé la dérive, car ils accostèrent à l'endroit même où les armées britanniques avaient grimpé la falaise pour atteindre les champs d'Abraham Martin, à deux pas des murailles de Québec. Arnold ordonna de maintenir un silence strict et d'attendre les premières lueurs de l'aube avant d'allumer un feu pour le confort des troupes. Il envoya quelques éclaireurs en haut de la côte. Tous les bateaux retournèrent chercher le reste du régiment, deux rameurs dans chaque barque.

La troisième traversée était engagée quand l'un des canots, trop chargé, se renversa. On perdit des armes, des réserves de vivres, mais aucun militaire ne se noya. Les guides autochtones réussirent à les rescaper *in extremis*, mais l'un des Bostonnais, impatient et transi après son séjour dans l'eau, ignora les ordres du général et fit un grand feu pour se réchauffer.

Les Britanniques remarquèrent immédiatement la lueur du brasier qui leur permit de suivre les déplacements des hommes sur la plage. Une barge fut détachée de la frégate *Lizard*, et les Habits rouges vinrent décharger leurs armes sur les derniers Américains à franchir le Saint-Laurent. Il fallut tirer plusieurs salves pour réussir à les repousser.

Les marins de Cramahé semblaient complètement étonnés de voir des centaines d'hommes ainsi parvenus à leur insu au pied de la ville forte. Pendant qu'Hélène s'entretenait avec les Algonquins et leur transmettait les commandements d'Arnold, Clément prit les devants pour guider les militaires jusque sur la côte. L'ennemi, emmuré dans la citadelle, ne bougea pas. On se saisit de la maison du major Caldwell pour y établir un quartier général temporaire. La plupart des hommes cherchèrent à s'héberger dans les résidences réquisitionnées de Sainte-Foy et les divers bâtiments de ferme. Tous avaient besoin d'un peu de repos après l'effort exténuant de la longue nuit blanche.

Simeon en profita pour entraîner Hélène avec lui. Elle le suivit avec peu d'empressement, après s'être assurée que Clément ne l'observait pas. Depuis la veille, sa discussion avec son premier amour lui avait coupé toute envie de répondre aux avances tenaces de Simeon. Elle ne savait plus trop où elle en était. Mais Simeon faisait montre de tant d'enthousiasme, son désir pour elle était si évident qu'elle se laissa conduire dans le petit réduit qui lui servait de chambre.

Quand il voulut l'embrasser, toutefois, elle le repoussa.

— Je suis épuisée, Simeon. Et j'ai besoin de réfléchir.

Il ne dit rien, intrigué par sa froideur soudaine, mais la laissa s'étendre sur le vieux paillasson. En temps normal, ce réduit devait servir de couche à la femme de ménage ou à l'un des hommes de ferme, engagés de la maison. Simeon était inquiet et frustré. Il avait fait l'amour à Hélène une seule fois depuis leurs retrouvailles à Sartigan. Depuis, il la voyait tous les jours, mais ses obligations militaires ne lui permettaient pas de la rejoindre aussi souvent qu'il l'aurait souhaité.

Hélène ne s'était jamais refusée à lui depuis le jour où il l'avait connue. Il se sentit rejeté. Finalement, il se contenta de se blottir contre elle sur le grabat étroit, conçu pour une seule personne. Quand il voulut passer son bras autour de sa taille, elle se dégagea.

— Qu'est-ce qui t'arrive ? Tu ne veux plus de moi ?

— Qu'est-ce que je suis pour toi, Simeon ? demanda-t-elle alors.

— Tu es mon amour, répondit-il, étonné. Tu es toute la beauté du monde, venue à ma rencontre. Tu es ce que je désire le plus de l'existence en ce moment même.

Il tenta de trouver sa bouche à nouveau, en riant, mais elle détourna la tête.

— Comme un bon plat qu'on déguste, comme un beau tableau à peindre ou comme quelqu'un qui a de l'importance dans ta vie ? s'enquit-elle.

— Je t'aime, Hélène. Qu'est-ce que tu veux que je te dise de plus ?

— Je comprends que tu as du désir pour moi. Mais je veux savoir si tu m'aimes assez pour que je tire un trait sur ma vie passée.

— Hélène… Je meurs de te prendre. Ça ne te suffit pas ? Là, tu me demandes si je suis prêt à te promettre de te garder toujours. Vous êtes toutes pareilles, les femmes : dès qu'on vous déclare nos sentiments, vous commencez à construire un nid, à exiger des assurances, un berceau pour le bébé. Je ne sais pas, moi ! Je ne peux pas deviner comment je penserai dans un an, dans dix ans. Pourquoi ne pas vivre simplement l'instant présent ?

Il tenta de la serrer dans ses bras, chercha son pubis sous son pantalon de daim. Il brûlait de la couvrir de caresses et d'assouvir les tensions qui le tenaillaient.

— Simeon, écoute-moi, dit-elle. Clément est redevenu mon amant. Quand je t'ai rencontré à Boston, il n'était plus dans ma vie. Mais, à mon retour, il m'a demandé de revenir auprès de lui.

— Je le sais depuis plusieurs jours. Laurent Descôteaux, ton autre soupirant, le boutonneux malingre, est venu gentiment me l'annoncer.

— Et c'est tout ce que ça te fait ? réagit-elle, secouée, en s'arrachant à la paillasse.

Simeon ne répondit pas. Il se leva et bourra sa pipe en s'assoyant sur la petite chaise capucine, rare meuble du réduit avec une table et un pot de faïence craquelé. Il déplia l'un des dessins de son sac de cuir et commença à esquisser au verso.

— Le fait d'avoir un rival me rend profondément jaloux. Mais en même temps, cela me stimule et m'oblige à te reconquérir. Je n'aime pas les garanties. Les fiançailles, les mariages, tout cela m'épuise. Je ne crois qu'à la passion qui se réinvente tous les jours. Je poursuis la liberté en toute chose : pour moi, pour ceux que j'aime, pour mon pays et dans mes amours aussi.

— Ça ne te fait donc rien que je porte quelqu'un d'autre dans mon cœur ? demanda-t-elle.

— Ça me tue, si tu veux savoir ! Je suis venu ici pour une grande cause, mais également pour te retrouver. Tu me plais, Hélène, plus que tu ne l'imagines. Je pourrais célébrer ton corps le restant de mes jours. Mais je dois respecter tes sentiments, et tu as le droit d'en aimer un autre, tu avais une vie avant de me rencontrer. C'est à moi de me faire désirer encore plus que lui. L'amour ne se force pas, je ne vais pas t'attacher. Je souhaite que tu aies une passion nouvelle pour moi, chaque jour, et que moi aussi je réinvente sans cesse mon affection pour toi. Je veux que tu me préfères à ton autre homme, que tu me choisisses à chaque instant qui passe. Je ne peux pas t'obliger à n'aimer que moi. Mais tu ne peux pas me demander de te jurer fidélité à jamais parce que tu dois choisir.

Hélène resta sans voix. Elle s'interrogeait. Comment pouvait-on montrer un pareil détachement dans la passion ? Elle se sentait étourdie, perdue, en terre inconnue. Seule avec son dilemme. Simeon ne lui en promettrait pas davantage. Aimer, n'était-ce pas sacrifier sa liberté au nom de l'amour ? Alors que lui plaçait sa liberté au-dessus de tout ? Il acceptait même qu'elle aime un autre homme que lui ! Il choisirait de se battre pour gagner son affection et lui faire oublier son rival.

Elle redécouvrait un fou magnifique, cet artiste excentrique, ce prétendant désinvolte et passionné qui voulait de la liberté jusqu'au cœur de l'amour. Son appétit insouciant pour la vie, cette confiance totale en l'existence l'avait séduite au départ. Elle se mit à croire qu'il avait raison : elle n'avait pas le droit d'exiger qu'il paie pour ses propres hésitations.

Quand il eut achevé son dessin, il le lui montra. Hélène en eut les larmes aux yeux. Il avait représenté deux corps enlacés tendrement, une femme et un homme. Au-dessus de leur étreinte sensuelle, des colombes prenaient leur envol en ouvrant leurs ailes avec grâce. Il avait illustré l'amour et la liberté, ensemble, formant un tout. Au bas de la page, il avait écrit :

> *Faut laisser voler l'oiseau pour savoir si l'oiseau t'aime*
> *et attendre, les yeux pleins d'eau, en espérant qu'il revienne.*

Hélène se leva, émue, le serra dans ses bras et l'embrassa avec fougue. Il avait trouvé les mots pour la convaincre : l'amour devait rester une aventure imprévisible, un univers réinventé sans cesse, un volcan jamais éteint, une œuvre créatrice éternelle. Simeon ne se fit pas prier pour s'étendre avec elle sur le triste lit. Ils se déshabillèrent et se prirent furieusement.

Hélène avait besoin d'oublier la douleur épouvantable de son questionnement. Elle réfléchirait plus tard. Il y avait tant de nuages sombres dans sa tête, d'oiseaux noirs dans le ciel de sa destinée. Là, elle devait se libérer de cette prison sans issue où voulait l'enfermer la vie. Simeon avait réussi à ranimer la flamme en elle. Elle se laissa entraîner dans sa folie. Pendant quelques instants, elle eut la certitude de faire le bon choix.

Simeon était la vie même, dans toute sa spontanéité. Il était romanesque, prêt à la reconquérir, et il le lui prouva : il fut tendre, généreux, s'occupa d'elle en s'oubliant totalement dans leurs préliminaires. Après qu'il l'eut conduite au sommet du plaisir, ce fut à elle d'être prodigue. Elle lui donna tout l'amour qu'il voulut prendre. De ses mains, de sa bouche, lui offrant son corps émouvant sans retenue. Ils aboutirent ensemble dans les territoires merveilleux de l'extase.

CHAPITRE 5

15 novembre 1775. Ville de Québec.

La tête rentrée dans son capot de laine et coiffée d'un casque de loutre enfoncé jusqu'aux oreilles, Laurent Descôteaux avait tout à fait l'air d'un livreur. Il ressemblait à s'y méprendre aux deux autres négociants de bois de la citadelle avec lesquels il avait monnayé son entrée dans la ville. Mais il était nerveux, malgré tout l'alcool qu'il avait ingurgité pour se donner du courage.

Le convoi traversa le carré d'Youville. Une femme et ses deux enfants, couverts de leurs longues pèlerines, avançaient, courbés pour lutter contre le vent. La poudrerie s'était levée. Comme chaque semaine, le chariot de livraison venait buter contre la porte Saint-Jean. Celle-ci était barricadée en tout temps depuis l'arrivée des soldats d'Arnold. Elle possédait quatre arcades : deux principales, plus hautes, pour le passage des voitures, flanquées de deux plus basses qui permettaient aux piétons de circuler. L'une des barrières centrales s'ouvrit en grinçant sur ses gonds. Les Tuniques rouges avaient reconnu le cocher qui contrôlait ses chevaux.

L'imposante charge de bois tenait à peine en équilibre. Les gens de la cité appréciaient ces marchands de combustible qui leur fournissaient de quoi se chauffer. Le bois, c'était ce qui manquait le plus aux Britanniques, plutôt frileux et grands consommateurs de feux bien nourris. Laurent, bien que rempli de frayeur, était fier de son coup. Il se rappela la suite des événements qui l'avait amené à se porter volontaire pour aller espionner les armées de Carleton à l'intérieur des murs.

Le lendemain de la traversée du fleuve, Arnold avait rassemblé tous ses guerriers et les avait conduits à cinquante pas des remparts dans les champs d'Abraham Martin. Pensant que la ville mal protégée céderait facilement, il avait fait crier ses hommes à l'unisson, trois fois, sommant les citoyens de se rendre ou de livrer bataille. Les canons des défenseurs avaient tiré trois salves pour toute réponse. Arnold avait alors envoyé un homme porter une missive à l'ennemi par la porte Saint-Louis, drapeau blanc en main. Le mot avait été ignoré tout bonnement. Arnold, qui avait fait le fanfaron devant ses troupes pour provoquer leur envie de se battre, en fut frustré jusqu'au fond de l'âme.

Quant à Simeon, qui avait harangué les hommes, il était humilié et fort mécontent. Ils se rendaient compte tous les deux de leur totale impuissance devant ces remparts de trente pieds de haut, que Cramahé avait fait réparer soigneusement en vue de l'attaque. Simeon, pourtant, avait bien discouru; il y était allé de son talent et de ses formules oratoires les plus percutantes en tenant des propos passionnés et en rappelant aux militaires que les difficultés endurées les avaient conduits jusqu'à ces murs. Ils s'approchaient de l'objectif final. Il leur restait à puiser dans leur courage pour atteindre le but de leur marche héroïque. En libérant Québec du joug des Britanniques, c'était toute l'Amérique qu'ils s'apprêtaient à libérer. Ils devaient en être fiers. L'histoire se souviendrait d'eux et de leur bravoure.

Les hommes étaient gonflés à bloc, et même Hélène, en retrait, son arme à la main, ressentait une grande émotion. Les trois coups de canon des citadins avaient alors résonné comme la pire des insultes. Les boulets n'avaient tué personne, mais refroidi leurs prétentions naïves.

Le rempart infranchissable et l'absence d'artillerie suffisante avaient mis fin abruptement à cet assaut insignifiant. On avait dû faire reculer l'armée de sept cents hommes pour s'assurer qu'elle soit hors de portée des tirs. Le capitaine Morgan donna l'ordre d'allumer un énorme brasier pour réchauffer les soldats très mal vêtus et grelottant dans le vent froid. Sans gants, les pieds souvent partiellement nus, les hommes goûtèrent aux premières rafales de l'hiver. Pour se défouler et oublier cet échec pourtant prévisible, ils incendièrent trois maisons du faubourg de la porte Saint-Louis.

Clément, qui avait entendu les envolées de son rival, avait vu Hélène s'en émouvoir. Lui aussi prenait durement ce premier revers, mais pour d'autres raisons. Il n'en revenait pas de découvrir à quel point les Américains manquaient de préparation et surtout de pragmatisme. Quand Arnold rassembla le conseil de l'armée pour faire le point, il fut l'un des premiers à parler.

— Je vous avais prévenus ! Pensiez-vous vraiment forcer Québec à capituler avec des cris et des menaces ? demanda-t-il avec ironie. Croyiez-vous qu'avec quelques centaines de fusils vous alliez effrayer les Anglais et les forcer à se rendre ?

— Il était nécessaire de tester leur volonté de résistance, rétorqua le capitaine Morgan.

— Pour faire tomber la ville la plus imprenable d'Amérique, il va falloir trouver une stratégie mieux adaptée : d'autres hommes, des mousquets et des canons. Il serait préférable, à mon avis, d'attendre les renforts de Montgomery avant d'attaquer. Regardez dans quel état sont vos soldats ! Épuisés, malades... Le froid est en train de les achever. Plusieurs souffrent déjà de pneumonie. Ils sont vêtus comme en été pour livrer un combat dans un pays où le climat est le plus grand ennemi. À quoi avez-vous donc pensé, vous autres, Yankees ? Il ne suffit pas de faire de beaux discours pour gagner une guerre, lança Clément en se tournant résolument vers Simeon.

— Tu peux bien te moquer des paroles prononcées au nom du courage ! Où est-il, le cœur des Canadiens ? À voir le petit nombre des vôtres qui nous soutiennent, on ne peut pas vraiment parler d'un peuple vaillant, répliqua Simeon, rouge de colère.

La tension était à son comble. Tous avaient fourni, au cours des dernières semaines, des efforts conséquents. Et là, chacun se découvrait membre d'une armée mise au ridicule par le silence des murs d'une ville impénétrable. Il fallait des coupables.

— Et vous, où avez-vous appris à vous battre ? reprit Clément, qui n'avait pas du tout aimé que Simeon s'attaque aux siens. Je me le demande !

— Nous avons gagné à Ticonderoga et à Crown Point ! Le fort Saint-Jean vient de tomber aux mains des nôtres, et Montréal va capituler bientôt, si ce n'est déjà fait. Qu'en dis-tu, toi que les Britanniques ont mis à genoux ?

C'en fut trop. Simeon avait lancé sa dernière phrase en s'approchant à quelques pouces de Clément. Dans son discours emporté, il lui avait postillonné au visage. Clément ne put se contenir et le gifla. Simeon réagit sans réfléchir et lui envoya un coup de poing au menton.

Morgan et Arnold tentèrent d'intervenir, sans succès. Les deux hommes roulaient déjà par terre, cherchant à s'étrangler. Attirés par le bruit de la dispute, un grand nombre de soldats étaient venus former un cercle autour des combattants. Clément décocha un crochet au corps de Simeon. Celui-ci se plia de douleur, mais se releva et administra un violent coup de genou dans l'entrejambe de son adversaire.

Deux clans se constituèrent dans l'assistance : les Américains d'un côté, identifiables par leurs chapeaux, et les Canadiens de l'autre, qui soutenaient Clément en applaudissant ses esquives. Hélène sauta dans la mêlée et vint s'interposer entre les pugilistes.

Tous les militaires présents, en la voyant intervenir sans crainte au beau milieu de la bagarre, comprirent pourquoi elle était acceptée dans les rangs d'une armée d'hommes. La bataille ne lui faisait pas peur, et elle était prête à recevoir les coups comme n'importe quel soldat. Pour les deux combattants, toutefois, la présence de cette femme rendait la lutte plutôt gênante.

— Arrêtez ! Arrêtez ! C'est quoi, ces enfantillages ? Nous ne sommes pas ici pour nous entre-tuer. Vous réglerez vos désaccords une autre fois ! cria-t-elle.

Cette voix de femme eut un effet d'autorité immédiat sur les rivaux. Hélène était seule à en connaître la raison. C'était un règlement de comptes amoureux qui était à l'origine de ce corps à corps. Les critiques désobligeantes de part et d'autre n'étaient qu'un prétexte, de l'huile sur un feu déjà allumé, elle le savait et s'en sentait coupable. Alors qu'Arnold et Morgan s'immisçaient entre les belligérants, Hélène regarda à tour de rôle ses amants dans les yeux. Elle leur exprima une infinie tristesse. Muraco avait vu juste : deux hommes venaient de se battre comme des loups enragés.

— Elle a raison ! Nous avons autre chose à faire que de nous battre entre nous, déclara Arnold avec tout le poids de son autorité retrouvée. Je crois que nous devons nous renseigner davantage sur les forces en présence derrière ces maudits remparts. Capitaine Morgan, il me faut un volontaire prêt à pénétrer en douce dans la ville. Je veux savoir ce qui s'y passe. Et toi, Clément, tu es le mieux placé pour inspecter les murs de cette forteresse. Au lieu de te chamailler, trouve-moi les points faibles de cette enceinte. Rends-toi utile plutôt que de passer ta rage à coups de poing sur mes hommes ! Inspecte les alentours de la citadelle et reviens me faire ton rapport.

Clément ramassa son tricorne d'un geste brusque et s'éloigna avec un dernier regard plein de hargne pour Simeon.

Laurent Descôteaux, au premier rang du contingent des recrues canadiennes, avait observé la scène avec une satisfaction non dissimulée. Cette rixe était pour lui une victoire. Il avait tout fait pour dresser les deux hommes l'un contre l'autre, dans l'espoir d'avoir la voie libre. Il fut le premier à lever la main quand Morgan appela des volontaires pour tenter de s'infiltrer dans la citadelle ; il y vit une belle occasion de s'affirmer devant Hélène. Une fois de plus, depuis son enrôlement, il l'avait vue signaler une certaine fierté à son égard. Faire la guerre l'effrayait, mais, pour espionner, il était probablement meilleur que quiconque.

Hélène l'avait regardé partir et avait alors conseillé à Benedict Arnold de suivre l'avis de Clément ; il était préférable, étant donné les circonstances, de remettre à plus tard tout assaut sur la ville. En attendant, pour éviter une sortie toujours possible des Britanniques, elle suggéra d'envoyer les hommes vers la pointe aux Trembles, où ils trouveraient vivres et soins. Elle connaissait bien ce village, elle y était née. C'était à cet endroit que la victoire de Sainte-Foy avait été fomentée. Montgomery et ses troupes allaient forcément passer par là en venant de Montréal, c'était un lieu de rendez-vous naturel.

Arnold jugea l'idée intéressante. Mais d'abord, il voulait faire le tour de la question, recevoir le rapport de l'espion Descôteaux et localiser les principaux points faibles des murailles de Québec grâce à l'inspection de Clément, afin d'établir un solide plan d'attaque.

⤳

Laurent Descôteaux se rappelait tout cela alors que le lourd portail de la ville se refermait derrière lui avec un bruit sourd. La charge de bois, instable, avança lentement dans les rues de Québec, et la distribution commença. Les militaires et les autorités de la ville étaient servis en premier. Laurent fouillait du regard chaque recoin, tournait la tête à gauche et à droite, cherchait à garder en mémoire tout ce qui pourrait avoir un intérêt pour l'armée des rebelles.

Pour la première fois de sa vie, il avait le sentiment d'être chargé d'une mission importante. Cette journée, c'était sa chance. Sa tâche militaire allait lui permettre de grandir aux yeux de la femme pour qui il avait surmonté toutes ses peurs en devenant soldat. À l'intérieur des murs, il fut surpris de constater que la plupart des citadins ne montraient aucune panique. Les gens vaquaient à leurs occupations comme si aucun danger ne planait sur eux. Dans son déguisement de paysan, Laurent se mit à écouter leurs propos.

Les citoyens étaient divisés. Ceux qui acceptaient de se confier le faisaient à voix basse. Certains souhaitaient que les

Américains gagnent cette guerre que leurs pères avaient perdue des années auparavant. Les autorités de la ville les menaçaient cependant d'une expulsion pure et simple hors des murs. D'autres voulaient la paix et se rangeaient du côté des Britanniques. Il y avait de grands mouvements de troupes à l'intérieur de la cité, et des sentinelles faisaient le guet le long des fortifications. Les canons étaient fonctionnels, prêts à tirer dans tous les points stratégiques.

Laurent comprit vite que l'estimation de Benedict Arnold relevait encore une fois d'un très mauvais calcul. En effet, le général croyait que la garnison de Québec ne comptait pas plus de quatre cents militaires au total : une centaine de soldats réguliers, quelques dizaines de marins et une poignée de nouvelles recrues venues de Terre-Neuve. Voilà ce qu'avaient prétendu, faussement, les habitants de Sainte-Foy. Et c'est pourquoi il avait pensé soumettre la ville avec de simples menaces verbales.

Laurent se laissa dire au contraire que les défenseurs étaient presque quatre fois plus nombreux. Il nota soigneusement le décompte que lui fit un milicien canadien : trois cents soldats britanniques, quatre cent quatre-vingts militaires canadiens, deux cents immigrants et fusiliers du roi, débarqués deux jours plus tôt. S'ajoutaient à cela vingt-quatre marins, trente-deux artificiers et quatre-vingt-dix recrues en provenance de Terre-Neuve et de l'île Saint-Jean. De plus, Cramahé avait commencé à tordre le bras aux quelques Canadiens qui résistaient à s'enrôler et les menaçaient d'expulsion. Quelque quatre-vingts citoyens avaient alors grossi les rangs de son armée au cours des derniers jours.

Plus loin, tout en faisant sa livraison de bois de chauffage, Laurent apprit que Carleton était absent de la ville. Il s'était rendu à Montréal, s'imaginant que les Américains avaient beaucoup plus de chances d'arriver par le Richelieu que par la Kennebec et la Chaudière. C'était une grave erreur. La rumeur disait qu'il tentait de revenir maintenant en essayant d'échapper aux hommes de Montgomery qui venaient de prendre

Montréal, appuyés de l'intérieur par plusieurs citoyens anglais et canadiens. Quelques jours auparavant, les Américains avaient débarqué à la pointe Saint-Charles et pénétré dans la ville par la porte des Récollets. La capitulation de la cité avait été signée à minuit le soir même. Les Trois Rivières devaient se rendre sans aucune résistance. Montgomery occupait désormais le château Ramezay dans la rue Notre-Dame. Comme il s'agissait de l'ancien quartier général de l'administration britannique, le symbole était puissant.

Un autre milicien canadien avait appris à Laurent qu'on se préparait à sortir de l'enceinte de la citadelle pour aller attaquer les soldats yankees, car on avait remarqué leur petit nombre, leur état pitoyable, leur manque de canons adéquats et de munitions. Laurent était surexcité. Il possédait donc des renseignements de toute première importance. En quittant la ville, il était certain de pouvoir faire un rapport impressionnant et d'une portée capitale aux dirigeants de l'armée américaine. À coup sûr, il gagnerait l'admiration d'Hélène. Cette fois, ce ne serait ni Clément ni Simeon qui tiendrait la vedette. Ce serait lui.

Ce fut le cas. Quand il commença à parler devant le conseil, il bégaya, s'emmêla dans ses propos. Mais à mesure qu'il débitait les informations récoltées, devant un auditoire totalement silencieux, il sentit monter l'intérêt de tous et lu de la fierté dans les yeux de celle qu'il aimait. Lui, le malingre, le soumis, le sans-colère, il était devenu le héros de l'heure d'une armée en campagne.

Clément, pour sa part, avec son détachement d'hommes, avait fait capituler l'hôpital général de Québec sans difficulté. La sœur Saint-Michel avait demandé qu'on rende les armes sans tirer un seul coup de fusil. Elle confirma les propos de Laurent en prévenant que les Américains allaient toutefois rencontrer une plus grande résistance avec la ville elle-même, remplie de gens déterminés à vaincre ou à mourir.

Laurent Descôteaux n'aimait pas que l'attention de tous soit de nouveau captée par le récit de Clément. Il avait gardé sa découverte la plus importante pour la fin.

— J'ai encore une chose à vous dire ! pérora-t-il. J'ai appris de source sûre que les forces de la citadelle préparent une sortie pour venir nous attaquer. Les Britanniques sont très conscients de l'état de faiblesse de notre armée, inférieure en nombre. Ils savent que nous manquons de tout et en profiteront pour tenter un assaut.

Arnold ne réagit pas immédiatement aux propos de Laurent. Par fierté. Il s'entêta quelques jours encore. Finalement, il constata que ses hommes étaient de plus en plus mal en point dans leurs vêtements en lambeaux, sans armes ni munitions suffisantes pour soutenir une attaque. Le froid et l'humidité s'étaient mis de la partie et venaient à bout des plus affaiblis. De nombreux cas de grippe, de varicelle et de pneumonie s'étaient déclarés au cours des derniers jours. Hélène se joignit au médecin militaire Isaac Senter pour soigner tout ce monde. Arnold demanda qu'elle leur serve de guide vers ce village dont elle avait parlé et qu'elle avait dit bien connaître.

Le lendemain, vers quatre heures du matin, des centaines de soldats marchèrent sous les ordres du général dans la direction indiquée par Hélène. Il était temps, car les miliciens britanniques, commandés par le capitaine John Nairne, s'étaient avancés hors des murs pour les poursuivre jusqu'aux terres de Sans Bruit et jusqu'à Cap-Rouge.

La longue excursion vers Neuville fut un véritable calvaire. Il avait neigé la veille, puis tout avait gelé durant la nuit et s'était transformé en verglas. Les arbres ployaient sous le poids des glaçons et rendaient le sol inégal tout le long de la route. Seule consolation : la féerie des forêts aux branches étincelantes dans la lumière du jour naissant. Les fantassins, mal chaussés pour la plupart, ne s'en coupaient pas moins les pieds sur les lames de glace. L'ennemi aurait pu suivre le déplacement de ce cortège de loqueteux en les pistant par les traces de sang laissées sur la neige.

Hélène avait prévenu Arnold de la distance à couvrir : dix-huit milles. C'était un énorme effort pour ces hommes affaiblis, sans gants et en vêtements de toile. Ils devaient affronter un vent d'ouest particulièrement mordant et humide. Rendus à Cap-Rouge, ils aperçurent, étonnés, un deux-mâts qui descendait le Saint-Laurent, poussé par la marée. Ce bateau de type senau, le *H.M.S. Fell*, devait avoir de bonnes raisons pour circuler aussi tardivement sur le fleuve, car les glaces avaient commencé à prendre le long des deux rives. Le navire retardataire avait belle allure, toutes voiles dehors et filant à grande vitesse.

Ce n'est que plus tard qu'ils apprirent que Carleton était à bord. Il avait réussi à fuir les troupes de Montgomery en se déguisant en paysan et en s'embarquant à Sorel *in extremis*. Dix de ses navires avaient cependant été repris par les hommes de Montgomery et ramenés à Montréal. Le général vainqueur comptait s'en servir pour naviguer sur le fleuve et rejoindre Arnold en banlieue de Québec.

Les soldats bostonnais et leurs partisans canadiens arrivèrent à Neuville fourbus et complètement exténués. Des gémissements montaient de partout. Chacun avait les pieds gelés et ensanglantés. La plupart ne sentaient plus leurs mains, bleuies par le froid mordant. Les Neuvillois, comme l'avait prévu Hélène, accueillirent ces miséreux avec compassion et dignité. S'il existait un village sympathique à la cause américaine, c'était bien celui-là. Certains habitants, pourtant, étaient nerveux à la vue des militaires ; cela remuait chez eux d'anciens souvenirs, infiniment douloureux.

En voyant les Américains dans le village, les femmes de Jean et Joseph Goulet, deux belles-sœurs particulièrement engagées, coururent de porte en porte pour encourager, sinon forcer les résidants à héberger et soigner les soldats. Depuis plusieurs semaines, ces deux dames à l'esprit patriotique avaient entrepris une impressionnante cabale en faveur des Yankees. Elles allaient de maison en chaumière et noircissaient de suie le visage de tous leurs voisins qui avaient répondu positivement aux appels de la milice britannique. Hélène se dit qu'elles auraient été les bienvenues dans son groupe des Insoumis. Nombre de villageois avaient l'impression de revivre les jours qui avaient précédé la victoire de Sainte-Foy.

Hélène se dirigea vers l'ancienne résidence paternelle. Quand elle la vit, la tristesse l'envahit. La maison était dans un état lamentable. Le balcon était partiellement effondré et on avait remplacé les carreaux brisés de plusieurs lucarnes par des panneaux de bois. L'étable et le poulailler où elle avait passé tant d'heures à écrire et à jouer du violon s'étaient écrasés sous le poids de la neige.

Hélène poussa la porte de la cuisine d'été et découvrit qu'elle était habitée par deux vieilles du village qui y avaient trouvé refuge.

— Ici, c'était le bureau de mon père, dit-elle aux femmes. Et la cuisine, je n'en reviens pas ! Elle est restée exactement comme elle était, avec cette table de pin et ces chaises basses qui me rappellent tant de souvenirs.

— Je vous reconnais très bien, lui dit la plus âgée. Vous êtes celle qui ne voulait jamais porter de robe. Que vous êtes grande à présent !

— J'ai quitté cet endroit il y a seize ans. Pourtant, si vous saviez à quel point me retrouver ici me fait revivre toute mon enfance ! répondit Hélène, émue. J'ai l'impression que c'était hier.

— Nous allons vous laisser la place et nous irons au presbytère. Le curé nous l'a offert, il y a quelques jours.

— Je n'aurais pas osé vous le demander, dit Hélène, mais cela m'arrangerait, car j'ai toute une armée à caser. Cette maison, pour un moment, me sera plus utile qu'à vous-mêmes.

Elle proposa alors à Arnold et ses principaux subalternes de venir y établir leur quartier général. Elle invita même Isaac Senter à occuper l'ancien bureau de son père, rempli d'équipement chirurgical. Depuis leur rencontre à la pointe Lévy, elle faisait équipe avec le médecin, qui appréciait de plus en plus ses aptitudes et ses connaissances en infirmerie. On y attendrait les renforts venus de Montréal.

Pendant que les soldats mal en point s'installaient par bandes dans toutes les maisons du village, Hélène resta longtemps à se remémorer le passé. Elle s'attendrit un moment dans la pièce qui servait de cabinet. Dans une petite armoire vitrée figuraient encore les précieux livres de médecine, jaunis par le temps et couverts de la poussière des ans. La grande table, sur laquelle son père effectuait ses opérations, avait été rangée le long d'un mur.

Hélène avait la drôle d'impression que les meubles de la maison avaient rapetissé. Dans son souvenir, la grosse berceuse, toujours à deux pas du poêle, était beaucoup plus haute. Elle se revit dans les bras de son paternel, qui l'endormait le soir en lui chantant des airs anciens. Elle sentit son cœur se serrer. Comme elle aurait voulu retrouver ne serait-ce qu'un peu de ce monde de douceur et de paix !

Elle était revenue à son point de départ. C'était dans ces murs de planches que son existence avait basculé le jour où les soldats de Wolfe étaient apparus sur le fleuve. Dans cette demeure, elle avait vécu une enfance merveilleuse, des jours d'amour et de tendresse inoubliables. Jusqu'à ce que la peur et la douleur envahissent sa vie en même temps que les bateaux anglais. Elle regarda par la fenêtre, encrassée par les intempéries et le chauffage au bois, et devina l'ancien jardin de sa mère figé par les premiers verglas. Les broussailles l'avaient complètement recouvert.

Derrière se trouvaient les champs où elle avait couru jadis. C'était là que s'étaient déroulées ses jeunes années. Cet endroit était pour elle un sanctuaire où elle avait vécu ce qu'elle appelait « sa vie d'avant », avant le cauchemar de cette sale guerre de la conquête qui lui avait enlevé son père et sa terre de liberté. Elle y avait rêvé d'un avenir que le conflit avait empêché. C'était ici même qu'avait commencé son long combat et qu'elle avait pris la décision de ne s'arrêter que le jour où le dernier envahisseur serait rentré chez lui.

Elle revit en souvenir ses frères se livrant à des joutes d'escrime avec des bouts de bois. Puis ses yeux glissèrent vers la roche à bon Dieu, sa cache ultime, ce lieu sacré où avaient coulé tant de larmes, où s'étaient calmées tant d'émotions et de peines. Pendant un instant, elle se demanda si son imagination ne lui jouait pas des tours : Clément se tenait debout devant l'énorme pierre où il l'avait jadis sauvée d'un Habit rouge qui tentait de la violer. Elle courut ouvrir la porte arrière et cria son nom.

— Clément !

Il tourna la tête et vint vers elle.

CHAPITRE 6

Fin novembre 1775. Neuville.

Hélène regardait son cousin, assis devant elle à la table de pin burinée par les ans, une console à tirette où s'étaient pris tous les repas de son enfance. Elle avait mis la main sur une bouteille oubliée à la cave depuis des lustres et en remplit soigneusement deux gobelets d'étain.

— Ça me fait tout drôle de remettre les pieds dans cette maison. C'est ici qu'on s'est connus, toi et moi, dit Clément. Ça me rappelle tant de choses. Tu te souviens ?

Hélène se contenta d'acquiescer de la tête et d'esquisser un sourire. Tous les deux avalèrent quelques gorgées, et la chaleur immédiate qu'ils ressentirent leur arracha un soupir d'aise. L'alcool faisait un bien immense après la marche épuisante dans le froid et la glace. Il se trouvait encore quelques douceurs en ce monde de misère. Le tic-tac de la vieille pendule au mur, toujours fonctionnelle après des milliers d'heures égrenées, luttait pour combler le silence. Les amants, sans mot dire, échangeaient des regards furtifs et prudents. Ni l'un ni l'autre ne voulait ouvrir le dialogue. Ils avaient beaucoup de choses à se dire, mais ils hésitaient, ils soupçonnaient que la conversation allait être déterminante quant à leur destin commun.

Hélène devina à l'air soucieux de Clément que le sablier était vidé. Le sursis avait pris fin. Il était venu chercher sa réponse. Comme d'habitude, quand le danger se présentait à elle, elle fonça et attaqua :

— Quand tu affirmes que tu m'aimes, Clément, qu'est-ce que tu veux dire ?

Surpris par sa question directe, il ne parla pas tout de suite et tourna nerveusement son tricorne entre ses mains. Puis il fixa le fond de ses pupilles anthracite et soutint son regard inquisiteur. Dieu qu'elle était belle ! L'adolescente avec qui il avait échangé ses premiers baisers timides, dans cette maison aujourd'hui décrépite, s'était métamorphosée en une déesse affriolante. Des yeux incroyables, perçants et entêtés, un nez délicat et mince que soulignait une bouche aux lèvres charnues et sensuelles, invitant irrésistiblement aux embrassements passionnés, et cette tête, couronnée de sa lanière de cuir, ce cou gracile qui lui donnait un port de reine. Elle était splendide et sauvage, déterminée et adorable.

Clément réfléchissait à toute vitesse, cherchant une réponse juste à la question qu'elle avait posée. Il ressentait une grande angoisse, une peur immense de perdre cette femme qui avait pris une place énorme dans sa vie depuis leurs retrouvailles. Chaque mot qu'il choisirait allait compter.

— Tu es tout pour moi, Hélène, dit-il simplement. Et la seule idée que tu en choisisses un autre que moi me blesse profondément.

C'était une réponse à cœur ouvert en même temps qu'un aveu franc de vulnérabilité. Il venait de montrer sans orgueil toute sa fragilité d'homme devant le choix qu'elle allait faire. Hélène en fut émue et se sentit coupable en même temps de le torturer ainsi. Elle aimait cet homme, elle aurait souhaité n'offrir à son âme que tendresse et douceur.

— Tu veux dire que tu me désires, comme un bel animal qu'on flatte, rétorqua-t-elle.

— C'est beaucoup plus que ça, Hélène. Bien sûr que je veux tout de toi, mon corps brûle de te prendre dès que je te vois. Mais j'estime aussi la femme que tu es. J'aime ton âme, Hélène, je la trouve belle, ton âme amoureuse de la liberté, du pays à bâtir dont nous rêvons depuis toujours.

Hélène jugea magnifique la réponse de Clément. Mais elle ne suffisait pas.

Elle avait passé la nuit à écrire dans son cahier devenu son confident avec les ans. Elle avait créé deux colonnes, comme chaque fois qu'elle devait faire un choix important. Une colonne où elle énumérait tous les aspects qu'aurait un prétendant en sa faveur, et une autre, contenant les points qui le condamneraient à ses yeux. Simeon lui offrait un amour sans promesses, sans engagement. Un amour sans serment, sans assurance. Colonne, donc, des « Contre lui ». Par ailleurs, cet amour offert par son amant yankee était beau et infiniment exaltant dans son souci de se réinventer constamment. C'était un amour habité par la liberté, une valeur qui lui tenait profondément à cœur depuis toujours. Colonne des « Pour lui ».

Mais elle avait pourtant ajouté du côté des « Contre lui » qu'un tel amour ne permettrait pas de construire quoi que ce soit à long terme. Pour elle, l'amour devait s'inscrire dans le temps. C'était dans la durée qu'on pourrait faire ce qu'il y a de mieux : concevoir des enfants, bâtir un foyer, vieillir ensemble malgré les affres et les douleurs inévitables de l'existence et en dépit de voir se faner la flamme initiale de la passion. Le grand amour, pour elle, c'était comme un pays : on ne devait jamais le perdre. Et si cela devait arriver, il fallait le reconquérir pour le chérir à jamais.

— Quand le temps m'aura fait des rides, m'aimeras-tu encore ? s'enquit-elle.

— Tu es tellement belle, Hélène, et les rides aussi, c'est beau ! Le temps use tout, je le sais autant que toi. Mais l'amour, pour moi, comprend la volonté de s'entretenir, de se rallumer sans cesse. Comment pourrait-on construire une famille ou une contrée si l'émotion qu'on éprouve pour elles était l'affaire d'un instant, d'un jour, d'un printemps ? L'amour véritable est éternel, Hélène. On le porte en soi, il fait partie de nous. Je n'en connais pas d'autre. Il est fidèle. Il est juré. Il est pour toujours. Moi, c'est toute la vie que je voudrais te garder.

Hélène était émue. Elle avait toujours trouvé beau le physique de Clément. Elle découvrait à présent sa beauté d'âme. Il la regarda avec ses yeux profonds, angoissés, remplis de la peur de perdre son amour, guettant sa réaction. Il se demanda s'il avait su trouver les bons mots.

Elle réalisa que, malgré son amour pour Simeon, elle était encore profondément attachée à cet homme généreux et fier, et qui était prêt, pour sa part, à lui jurer fidélité. Et elle avait justement besoin d'assurance ; l'éternel recommencement ne lui convenait pas. Voilà ce qu'elle avait écrit dans son cahier la veille. Elle ne voulait plus vivre le mal de la rupture, elle en avait eu son lot depuis l'arrivée des Anglais. Et elle voulait construire sa vie sur du solide. Toute sa trajectoire se rattachait à son enfance et à la mort de son père. Elle avait un grand sens de la famille et de la continuité, elle souhaitait aussi avoir des enfants, un jour. Comment élever une famille sur une simple aventure ?

— Quelle famille pourrions-nous avoir ensemble, Clément ? Tu es marié, tu as déjà une femme, des enfants...

Clément fut déstabilisé. Après un silence, il reprit :

— Il faudrait que je demande une dispense à l'Église. Depuis la naissance de la petite dernière, je n'ai pas connu... les joies de l'union conjugale. En mon âme et conscience, je sens que j'ai droit à un nouveau départ, à une seconde vie. J'ai droit à la vie de couple et à la tendresse comme n'importe quel homme en ce monde. Et notre amour, Hélène, je suis prêt à le faire reconnaître, à le renouveler et à m'assurer qu'il dure.

Il eut le sentiment de lui avoir tout dit. Il n'en pouvait plus de sentir qu'elle lui échappait. Il avait besoin de sa réponse comme un noyé a besoin d'air.

— Je t'aime, Hélène. Personne ne t'aimera jamais autant que moi. Mais toi, as-tu choisi ?

C'était la question qu'elle redoutait. Pourtant, elle savait que sa décision était prise. Elle leva les yeux et fut sur le point de lui répondre qu'elle l'avait élu quand Arnold, Morgan et tous les hauts gradés firent irruption dans la maison. Ils devaient y tenir leur conseil de guerre. Simeon fonça le premier dans sa direction, un immense sourire éclairant son visage :

— Tu nous as trouvé un endroit parfait pour attendre les renforts, dit-il en lui serrant familièrement les deux avant-bras.

Il était très conscient de narguer son rival en venant interrompre un échange intime. Clément grimaça et se releva d'un bond. Hélène, confuse, chercha à s'excuser de laisser leur conversation en plan:

— Je dois m'occuper de tout ce monde, dit-elle en se levant à son tour.

Clément, l'émotion à fleur de peau, se sentit rejeté devant son adversaire. Pour lui, il n'y avait plus aucun doute, c'était fini entre Hélène et lui. Après tout ce qu'il venait de lui confier, elle n'avait pas été capable de lui donner une réponse claire. Après avoir mis son cœur à nu, il se sentait humilié d'être écarté cavalièrement en présence de Simeon. Il saisit son tricorne, le posa sur sa tête et se dirigea vers la porte.

Seule Hélène connaissait la conclusion trop brusque de leur échange. Totalement affolée par le quiproquo, elle ne sut que faire devant l'intimité envolée. Elle se sentit frustrée alors que tous la réclamaient. On ne déclare pas son amour sans une certaine intimité!

— Clément..., laissa-t-elle échapper.

Elle fit un mouvement comme pour courir vers lui, mais Arnold fonça vers elle à son tour pour la féliciter au nom de ses hommes.

Elle écouta distraitement les propos polis du général en suivant des yeux son amoureux sur le point de quitter les lieux, semblant avoir pris une décision irrémédiable. Clément ne la regarda pas. Il avait suffi qu'elle hésite quelques secondes de trop, des secondes à se reprocher sa vie durant.

— Tous les hommes ont trouvé un gîte pour dormir et se refaire une santé, continua Benedict Arnold, satisfait. Il ne reste que nous à caser. Pourrons-nous demeurer ici?

— Bien entendu, répondit Hélène.

Clément ouvrit la porte. Une rafale froide pénétra dans la pièce. Il la referma aussitôt sans en avoir franchi le seuil, car Arnold venait d'enchaîner avec des propos qui l'interpellaient.

— Un messager m'apporte une lettre de Montgomery: les Trois Rivières sont désormais sous réserve américaine, elles aussi, au même titre que Montréal. Nos hommes n'ont même pas eu à se battre ! Une délégation s'est rendue à Montréal pour annoncer la reddition de la ville sans aucune résistance. Montgomery sera avec nous dans quelques jours. Il a confié Montréal au général Wooster et s'apprête à nous rejoindre. Ses navires, pris aux Anglais à Sorel, sont en route pour nous rattraper. Ils devraient jeter l'ancre ici dans quelques jours.

On tint conseil. Isaac Senter expliqua que des dizaines d'hommes étaient très mal en point. Plusieurs étaient grippés ou souffraient de dysenterie. Hélène s'était un peu calmée en voyant Clément resté sur le pas de la porte. Malgré son drame personnel, elle tenta d'être rassurante et réaffirma sa confiance envers les gens de son ancien village.

— Ils vont tous accepter de nous aider, vous verrez. Ces gens ont soutenu les soldats de la Nouvelle-France par milliers, lors de la conquête britannique. La bataille de Sainte-Foy s'est préparée ici, autour de ma maison : Neuville a été le point de départ de l'unique victoire du peuple français d'Amérique, dit-elle avec fierté. Encore une fois, la pointe aux Trembles va jouer à coup sûr un rôle clé dans cette guerre de libération.

Morgan, pour sa part, espérait que Montgomery apporterait des vêtements d'hiver adéquats et des munitions, sans quoi l'armée américaine serait trop affaiblie pour livrer bataille. Une grande partie des munitions qui avaient franchi la distance depuis la rivière Kennebec avait été abîmée. Beaucoup de poudre mouillée était inutilisable, et nombre de mousquets endommagés étaient irréparables. Selon Arnold, on n'avait plus que cinq cartouches par soldat.

Clément prit la parole sans regarder Hélène. Elle eut l'impression qu'il avait tourné la page sur leur histoire d'amour et qu'il ne lui restait plus que la guerre. De toute évidence, elle n'était désormais qu'un soldat parmi d'autres pour lui.

— Nous manquons surtout d'hommes, affirma-t-il. Ce pays est immense. Beaucoup de Canadiens ne savent même pas que vous, les Américains, êtes arrivés aux portes de la ville. Ils ignorent que vous avez pris Saint-Jean, Chambly, Montréal et les Trois Rivières. Je dois partir demain dès l'aube pour l'annoncer à tout le monde et recruter de nouveaux hommes sur la côte de Beaupré, qu'aucun des nôtres n'a encore visitée. De L'Ange Gardien jusqu'à Baie Saint-Paul, tous ont été incendiés par les hommes de Wolfe. Je vais aller leur rafraîchir la mémoire.

— Excellente idée, affirma Simeon, avec un soupçon d'ironie dans la voix. Si plus de vos compatriotes se mettaient debout et venaient nous appuyer, nous pourrions gagner cette guerre facilement. Va réveiller tous ces trouillards qui préfèrent sauver leur âme plutôt que de s'offrir un pays. J'espère que tu trouveras de bons discours sur le courage et la liberté, mon ami !

Simeon avait débité ses dernières phrases sur un ton cinglant comme une nouvelle provocation, avec un sentiment de vengeance évident. Il n'avait pas encore digéré les propos humiliants de Clément sur ses efforts de motivation des troupes. Et pour lui, la conquête d'Hélène était loin d'être terminée face à son rival.

Hélène, désemparée, se demanda où aboutirait le dialogue tendu de ses deux prétendants. Clément ne réagit pas, ce qui l'attrista. Avait-il renoncé à elle, laissé tomber la rivalité, concédant la victoire à Simeon ? Pourquoi ne lui avait-elle pas dit qu'elle l'avait choisi ? Maintenant, il était trop tard. Le mal était fait. Elle n'arrivait pas à se le pardonner.

Avant d'ouvrir la porte, Clément lança une ultime réplique qui la meurtrit comme un poignard :

— Quand tu parles à tes hommes, le Yankee, tu entretiens une flamme déjà allumée. C'est beaucoup plus facile. Tes pareils n'ont pas connu la guerre, eux. Les miens, si. Et il faut que je ravive le feu de la vengeance dans leurs cœurs pendant que l'Église les inonde d'eau bénite, les menace de l'enfer et leur refuse l'accès à l'autre monde.

Tout en parlant, Clément s'était approché de Simeon jusqu'à pouvoir sentir son haleine. Il lui tapota l'épaule d'un air méprisant en lui disant :

— Quoi qu'il en soit, toi aussi, tu vas devoir être très convaincant, l'Américain. Tu as du pain sur la planche, crois-moi. Ils sont au bout du rouleau, tes hommes, et certains parlent déjà de rentrer chez eux. Leur contrat se termine en janvier, ils ont hâte d'y mettre un terme. Ça prend du courage pour survivre à nos hivers, tu vas bientôt le découvrir ! Allez, je reviendrai avec d'autres braves pour la victoire finale. Tout ce qui compte pour moi, désormais, c'est de gagner la guerre. Adieu.

Sur ces mots, il sortit en claquant la porte.

Hélène était en plein désarroi. Le « tout ce qui compte pour moi » lui avait ouvert un trou béant dans l'âme. Mais brusquement, elle se releva, puis avança vers la cuisine pour mieux dissimuler son émotion.

— Je vais préparer une soupe. Installez-vous.

Elle avait parlé sur un ton qui trahissait sa frustration. Simeon décoda son bouleversement en la voyant passer. Une grande tristesse avait envahi les beaux yeux gris qu'il connaissait si bien. Ce n'était pas bon signe pour lui. Le moment était mal choisi pour un entretien avec sa maîtresse. Elle vivait un émoi intense, visiblement, se donnait une contenance en feignant d'être totalement concentrée sur son rôle de cuisinière. Quand il la vit s'apprêter à faire chauffer de l'eau dans une grosse casserole avec un comportement qui tenait plus de la rage que de l'art culinaire, il jugea à propos de s'éclipser.

Hélène en était à plonger deux morceaux de lard salé, coupés en dés, dans la grande marmite et y lançait sans délicatesse une bonne mesure de pois secs quand la porte arrière de la maison s'ouvrit brusquement, entraînant une bourrasque dans la pièce. C'était Laurent Descôteaux, arborant un large sourire. Le froid vif avait rendu ses joues écarlates. Devant la réaction agacée d'Hélène, il tenta timidement une approche :

— Clément n'a pas l'air content…, dit-il d'un ton faussement inquiet. Je viens de le croiser. Il est furieux ! Je voulais m'assurer que tout se passe bien pour toi.

— Je vais bien, très bien, répondit-elle, les dents serrées, les yeux rougis.

Laurent prit une chaise et s'assit, sans invitation. Il l'observa silencieusement pendant un long moment. Au fond, il jubilait, persuadé qu'Hélène et Clément venaient de se quereller et que Simeon demeurait son unique rival.

— Est-ce que je peux t'aider ? demanda-t-il.

— Non. Et je crois que tu devrais te mettre en quête d'une autre maison pour la nuit, car la mienne est pleine.

— Oh, ne t'en fais pas ! J'ai déjà trouvé. Mais je m'inquiète pour toi. Tu sais, Hélène, je t'aime toujours, moi, et je veille sur toi. Je m'inquiète de te voir mêlée à toutes ces affaires de guerre, à toutes ces rivalités.

— Je sais, Laurent, je sais. Ne te préoccupe pas de moi, je suis parfaitement capable de me défendre seule.

Il se tortilla longtemps sur sa chaise, cherchant comment relancer la conversation. Hélène était absorbée par sa recette, ou faisait semblant de l'être. Elle prit quelques rondins qu'elle jeta dans le poêle pour aviver le feu. La petite porte de fonte claqua plus fort qu'elle n'aurait dû. La vapeur commençait à se dégager de la grosse marmite et le bon fumet de la soupe embauma la pièce. Laurent hésita, puis attaqua :

— Tu te rappelles, Hélène, tu m'avais dit que tu ne pourrais jamais aimer un homme incapable de se battre pour se donner un pays bien à lui ? Eh bien, à présent, je suis un soldat de l'armée des rebelles au même titre que toi et tous ceux qui méritent ton estime.

— Oui, Laurent, et j'en suis bien contente. Je suis même fière de toi. Tu as été très brave en acceptant de pénétrer dans l'enceinte pour nous rapporter de précieux renseignements. On a bien besoin de bons miliciens comme toi pour écraser les royalistes.

Laurent sourit, se sentant envahi d'une chaleur aux propos de la femme qu'il aimait. Il avait bien fait de tenter de la séduire en se montrant fort et audacieux. Peut-être arriverait-il finalement à se faire accepter d'elle. À mériter son amour plutôt que sa pitié. Cette possibilité lui donna des ailes. Surmontant sa crainte d'être encore une fois rejeté, il se leva et vint vers Hélène, qui était en train de touiller la soupe avec une grande cuiller de bois. Sa silhouette tant désirée lui sembla irrésistible. Par-derrière, il l'enserra dans ses bras.

Elle s'arracha immédiatement à l'étreinte et se retourna vers lui, rouge de colère. La gifle partit avec une force exagérée. Le geste déplacé de Laurent avait libéré toute sa hargne. Son ton monta et elle se défoula de toute sa frustration d'avoir manqué de mots face à Clément :

— Prends-moi donc de force, tant qu'à y être ! Salaud ! Non mais, tu te crois tout permis parce que tu as simplement fait un homme de toi ? Dégage !

Elle le repoussa avec rudesse. Il feignit de sourire, mais ce fut un rictus de douleur qui se dessina sur son visage. Son destin de garçon rejeté le rattrapait. Brusquement, il saisit la bouteille d'alcool restée sur la table et en porta le goulot directement à sa bouche, comme par bravade. Son désir pour cette femme l'avait fait affronter toutes les peurs, surmonter toutes les angoisses. Il n'allait pas s'arrêter là. Il attaqua de nouveau :

— Toi et moi, Hélène, on est faits l'un pour l'autre. Tu finiras bien par le comprendre un jour. Je l'ai su la première fois que je t'ai vue.

— Je n'ai pas d'amour pour toi, Laurent. Essaie d'entendre ce que je dis, bon Dieu ! Je ne t'aime pas.

— Tu préfères ton Simeon, ce coureur de jupons ? Pour lui, tu n'es qu'une putain parmi d'autres ! Une autre femme à soldats, rien qu'un modèle de plus à peindre puis à mettre dans son lit.

— Comment peux-tu dire ça ? hurla-t-elle.

— Demande-lui de te montrer ses fusains, *tous* ses dessins. Pas seulement les portraits qu'il a faits de toi. Et ses lettres, aussi.

— Tu as fouillé dans ses affaires ? cria-t-elle, estomaquée.

Laurent avait lancé sa dernière réplique avec un air vengeur, à mi-chemin entre l'intérêt et la méchanceté. Il cherchait à la blesser, bien sûr, mais il espérait surtout qu'elle comprendrait enfin qu'il était le seul parti valable, l'unique prétendant qu'il lui restait. Il la regarda malicieusement, sans répondre, puis vida d'un trait la bouteille et la déposa brutalement sur la table. Il prit sa tuque et sortit, laissant le soupçon vriller le cœur d'Hélène.

CHAPITRE 7

Décembre 1775. Neuville.

Les derniers jours de novembre avaient été très humides. La grisaille s'était installée en permanence dans ce coin d'Amérique. Jour après jour, du matin au soir, des nuages voyageaient dans le ciel, privant les âmes de lumière et de joie. Les déplacements étaient laborieux sur les petites routes de terre défoncées. Il y avait encore trop peu de neige pour utiliser la carriole à patins ; trop de boue, par contre, pour que les charrettes puissent bien rouler.

Des hommes d'Arnold avaient été envoyés à Sainte-Anne-de-la-Pérade, passé Deschambault, pour y chercher canons et munitions. Les éclaireurs de Montgomery, venus des Trois Rivières, les avaient débarqués là quelques jours auparavant. La rumeur disait que le militaire était en route et devait arriver à la pointe aux Trembles au plus tard le lendemain.

À Neuville, les compagnons d'armes d'Arnold soignaient leurs pieds et leurs mauvais rhumes. Tous ceux qui s'y connaissaient en cordonnerie s'attelèrent à la tâche pour fabriquer des mocassins de fortune à partir des moindres morceaux de cuir fournis par les fermiers.

Le 1er décembre, tous les soldats furent rassemblés à l'église afin d'accueillir le général Montgomery, qui précédait ses troupes sur un sloop chargé à bloc. Celui-ci amenait en renfort plus de deux cents miliciens canadiens recrutés à Sorel par James Livingston, ancien marchand de grains de cette ville et parent par alliance de Montgomery, qui l'avait nommé responsable des volontaires.

Il fut reçu sous des ovations bien senties. Il apportait, en plus des munitions pour tenir le siège de la citadelle, des vêtements et de multiples accessoires pris à l'ennemi lors des victoires difficiles remportées sur le Richelieu. On avait dévalisé les magasins du roi et onze voiliers. Trois cents paires de bons souliers avaient enrichi les réserves de l'armée. Les navires avaient été pillés de fond en comble, de même que les places fortes de Saint-Jean et Chambly. Des provisions, des habits chauds et même un dollar par soldat furent distribués. Les sourires éclairaient de nouveau les visages. Enfin, les hommes venus de la Kennebec et de la Chaudière allaient pouvoir affronter le rigoureux climat du Québec avec des vêtements adéquats.

Les douze cents militaires en renfort arrivèrent le lendemain, et ce fut un véritable moment de liesse. La plupart des fantassins d'Arnold portaient désormais des vestes bleu nuit tout comme les Britanniques. Montgomery demanda donc qu'on trouve un élément vestimentaire pour bien les distinguer de l'ennemi. Simeon suggéra que chacun épingle un carton sur son chapeau, comme le faisaient déjà les *Patriots*, et y écrive « Liberté » ou encore « Indépendance ». On s'exécuta dans l'enthousiasme général.

Le contrat signé par les hommes de Boston devait se terminer le 1ᵉʳ janvier. Montgomery, en échangeant avec Arnold, s'en était alarmé. Il déplorait les erreurs de calcul commises au départ par le Congrès américain. En effet, on avait estimé que la prise de Québec, avec l'appui massif escompté des habitants, se réaliserait avant même l'arrivée de l'hiver. Cette guerre devait être gagnée facilement et en peu de temps, avec quelques centaines d'hommes à peine. C'était une présomption relevant d'une totale ignorance du climat, de l'emprise de l'Église sur le peuple et des forces de résistance britanniques protégées par les hauts murs de la citadelle de Québec.

Déjà, plusieurs Américains engagés par contrat parlaient de rentrer chez eux. Leur service se terminait et ils étaient dans leur droit. Certains prirent même de l'avance : on avait arrêté la veille deux fugitifs qui avaient décidé de se sauver en direction de Montréal. Voyant approcher Noël, ces hommes n'avaient pu résister à l'envie d'aller retrouver leurs femmes et leurs petits. Ils avaient donc volé deux chevaux et étaient partis en pleine nuit.

Malheureusement pour eux, ils n'avaient pas prévu qu'un contingent de soldats marchait en sens inverse en venant de Deschambault. On les arrêta, les interrogea. Ils furent ramenés, ligotés et livrés à Richard Montgomery pour être jugés. Le général voulut en faire des exemples. Il condamna les deux fuyards à recevoir cent coups de fouet chacun, en présence de toute l'armée. Il fallait enrayer l'hémorragie dès les premiers signes. La nostalgie du foyer s'était répandue comme une traînée de poudre parmi les hommes, car les plans au départ stipulaient que les troupes seraient de retour pour les réjouissances du temps des fêtes.

La sanction fut exécutée sur-le-champ. Dans le froid vif de décembre, le spectacle fit lever le cœur à chacun. Malgré cela, l'événement exerça un attrait puissant sur la population entière du village. Les deux déserteurs, enchaînés aux anneaux prévus pour l'attache des chevaux devant l'église, furent dévêtus jusqu'à la taille et laissés longtemps à grelotter dans le vent glacial.

Deux soldats, installés de chaque côté des coupables, se mirent à administrer des coups de fouet sonores et cinglants sur le dos des suppliciés, pendant qu'un troisième comptait à haute voix. Un des soldats châtiés perdit vite connaissance, le dos rougi par le sang. Le second s'effondra peu de temps après. Les deux condamnés ne furent pas conscients des cinquante derniers coups assénés.

La plupart des militaires détournèrent le regard. Ils n'aimaient pas une discipline aussi violente. Ils acceptaient difficilement, après tant d'efforts fournis, qu'on pût ajouter à la misère déjà subie. Par contre, cela produisit l'effet recherché : tous eurent peur et en oublièrent leurs projets de fuite.

Hélène ne put supporter cette vision. Elle repartit à la maison paternelle qu'elle trouva déserte, car tous ses hôtes assistaient au supplice. Elle ralluma le feu dans le poêle. En passant devant la couche de Simeon, installée près de l'ancien bureau de son père, elle vit la besace de cuir dans laquelle l'artiste soldat gardait précieusement ses dessins. Elle ne put résister. Après avoir jeté un coup d'œil furtif par la fenêtre pour s'assurer que personne ne venait, elle se saisit du sac et le posa sur ses genoux. Les propos de Laurent lui tournaient dans la tête comme une obsession douloureuse. Elle hésita un moment, car entrer dans la vie privée d'un autre la rebutait. Mais il fallait qu'elle sache ce que Laurent avait voulu dire. Sa curiosité insatisfaite l'empêchait de dormir depuis des jours.

Le sac contenait plusieurs dessins soigneusement pliés, une boîte à fusains noircie par le charbon et quelques lettres ficelées avec un vieux ruban. Elle ouvrit d'abord la pile de papiers rabattus. Elle reconnut en premier des portraits d'elle-même. En les feuilletant l'un après l'autre, elle se retrouva, nue, dans toutes ces poses érotiques qu'il lui avait demandé de prendre au cours de leurs longues nuits d'amour à Boston.

Simeon possédait un trait sûr, et ses fusains avaient une qualité artistique indéniable. Chacune des esquisses au charbon était magnifique. Il y avait également plusieurs dessins de la vie militaire : Simeon avait été peintre de guerre plusieurs années auparavant. Une vingtaine de scènes croquées sur le vif lors de la traversée des Appalaches figuraient aussi parmi les ébauches. On y voyait les soldats yankees affronter des cascades en furie et se faire renverser dans leurs embarcations en percutant les rochers monstrueux de la rivière. Quelques-unes des représentations étaient rehaussées d'un lavis d'aquarelle, ce qui créait un joli effet.

Puis Hélène tomba sur des œuvres qu'elle n'avait jamais vues, des ébauches que son amant ne lui avait jamais montrées. Une autre femme y était représentée, sur des portraits et des nus, elle aussi dans des poses extrêmement coquines. La demoiselle était particulièrement jeune et plantureuse. Ses courbes étaient dessinées avec soin. Sur l'un des portraits de cette étrangère, Simeon avait inscrit : « Jane », et il avait apposé sa griffe habituelle au bas de la feuille. Piquée par la curiosité, Hélène s'empara des lettres ficelées. Elle défit la boucle et ouvrit la première missive. C'était une lettre d'amour parfumée, aux propos passionnés, signée « Jenny ». Elle débutait par ces mots : « *Simeon, my love.* »

Des larmes inondèrent les yeux d'Hélène. La lettre provenait de Yorktown et parlait des nuits de rêve que Simeon avait fait vivre à cette femme. Des moments torrides qu'elle ne pourrait plus jamais oublier, écrivait-elle. Hélène referma l'enveloppe et essaya de renouer la boucle de ses mains tremblantes. Elle n'y parvint pas. Elle laissa choir le sac de cuir, se leva brusquement et se dirigea vers la fenêtre arrière de la maison, en proie à une grande émotion. Tout était flou à cause des larmes, mais elle tentait de fixer son regard sur la roche à bon Dieu comme par réflexe, en quête d'un refuge.

❧

Le 5 décembre, Montgomery donna l'ordre à son armée d'avancer vers le camp des plaines d'Abraham Martin, abandonné deux semaines auparavant par Arnold. Une neige éparse tombait doucement d'un firmament immuablement gris. La veille, Arnold avait chargé quelques hommes d'embarquer les canons sur le sloop pour aller les porter en bas de Cap-Rouge, à faible distance de la citadelle.

Le soir arrivait quand il fit bivouaquer ses troupes à portée de tir des murailles de Québec. Montgomery installa son quartier général dans la maison Holland, sur le chemin de Sainte-Foy. Arnold, quant à lui, choisit d'occuper une résidence du faubourg Saint-Roch. Les premiers coups de canon des Britanniques furent tirés le lendemain à l'aube dans cette direction, puisqu'on avait découvert que les ennemis s'y étaient installés massivement.

L'artillerie américaine répliqua mais n'avait pas la puissance de celle de la ville forte. À peine égratignèrent-ils les épais murs de pierre de leurs boulets, fabriqués dans les Forges Saint-Maurice et dont le métal manquait de densité. Étant donné la taille des boules d'acier disponibles, on avait le sentiment de lancer des petits pois sur un madrier de bois.

La riposte de Carleton sur les troupes de Montgomery, par contre, fut assourdissante, et quelques soldats furent blessés. La terre étant gelée, il n'était pas question de creuser. On mit alors les hommes à la construction de forts de glace pour protéger les obusiers, mais ils furent atteints par les tirs ennemis avant d'avoir terminé leur tâche.

Personne n'osait parler. Tous, autant que Montgomery et Arnold, étaient à même d'évaluer l'évident déséquilibre des forces en présence. L'armée américaine n'avait pas assez d'hommes pour tenter de prendre d'assaut la ville et ses murs de trente pieds de hauteur sur vingt d'épaisseur. Montgomery fit envoyer une première lettre aux portes de la cité, exagérant de beaucoup ses forces et exigeant une capitulation sur-le-champ. Un soldat de Carleton saisit la lettre avec des pincettes et la brûla devant l'émissaire qui portait le drapeau blanc.

Le conseil se réunit. Arnold suggéra qu'on encercle la cité pour empêcher son ravitaillement. On devait se résoudre à un long siège, alors que Montgomery aurait voulu un dénouement plus rapide. Plusieurs des hommes souffraient de la variole et on évoquait toujours les contrats qui arrivaient à terme pour plusieurs centaines d'hommes. Montgomery était également très déçu du peu de Canadiens s'étant portés volontaires pour appuyer ses troupes.

Arnold informa alors Montgomery du travail de Clément Gosselin, excellent recruteur. Parti vers la côte de Beaupré, il avait promis de revenir avec des forces fraîches. Hélène, toujours présente lors des réunions malgré le malaise évident de Montgomery devant cette seule femme au conseil, s'inquiéta du fait que Clément n'était pas encore rentré de sa tournée sur la côte nord du fleuve. Ils devaient l'attendre; c'était sûr qu'il leur ramènerait d'autres miliciens, dit-elle. Elle s'en porta garante. Les incendiaires britanniques avaient fait beaucoup de dégâts là aussi, et les habitants voudraient certainement se venger en participant à l'assaut.

Simeon, lui, s'avoua plus sceptique. Hélène mit son attitude sur le compte de sa mauvaise humeur : depuis qu'elle avait trouvé sa correspondance passionnée avec une autre femme, elle n'avait plus eu d'attentions pour lui. Le peintre avait l'impression qu'elle l'évitait et il ne comprenait pas pourquoi. Hélène lui semblait préoccupée uniquement par le succès de l'entreprise militaire, comme si elle avait tiré un trait sur l'amour. Il sentait que leur relation sentimentale n'avait plus pour elle la même importance qu'auparavant.

Effectivement, se concentrer sur la bataille calmait la colère qui s'était emparée d'elle. Elle vivait un profond sentiment d'abandon et de trahison, autant dans ses amours que dans son combat. Si près de la réalisation de son grand rêve, elle ressentait douloureusement le manque d'appui des siens. Si on ne pouvait maintenir un siège assez longtemps, avait-elle déclaré devant les généraux, il fallait se résoudre à attaquer tout de suite. Montgomery se rallia à cette idée. Mais, étant donné la faiblesse de ses troupes et leur infériorité en munitions, on devait préparer cet assaut en s'aidant le plus possible des forces naturelles.

Le mieux serait de surprendre la citadelle la nuit, dans l'obscurité et par mauvais temps. Profiter d'une éventuelle tempête de neige, par exemple, pourrait rendre les choses plus faciles. Attaquer en pleine nuit augmenterait encore les chances. On mit à contribution tous les hommes disponibles, afin de construire des échelles de bois pour escalader les murs et les barricades. Clément, quand il avait inspecté l'enceinte à la demande d'Arnold, avait signalé deux points d'entrée moins bien gardés de la place forte : rues Près-de-Ville et Sault-au-Matelot, deux accès à la citadelle par la basse ville, le premier depuis la grève au bas du cap, le second en traversant Saint-Roch et en longeant l'estuaire de la rivière Saint-Charles. Montgomery jonglait avec ces renseignements précieux en tentant d'établir un plan d'attaque efficace.

Plus de deux semaines passèrent. Les troupes attendaient ce moment favorable à une offensive contre la forteresse. La nature se moquait des projets des Yankees et maintenait la grisaille feutrée et froide au-dessus de Québec. L'armée essayait d'être partout, mais n'était pas assez nombreuse pour encercler solidement la ville et empêcher tout ravitaillement. Le siège était poreux. Les habitants de Québec trouvaient toujours le moyen de sortir par une porte ou l'autre de la cité, laissée sans surveillance.

Le plus démoralisant était le cheval de bois que les Anglais avaient installé sur les murailles à l'endroit le plus passant, comme une insulte permanente. Ils avaient mis une botte de paille devant son nez ainsi qu'un écriteau sur lequel on pouvait lire : « Quand ce cheval aura mangé ce foin, nous nous rendrons. » C'était une gifle aux forces américaines. À plusieurs reprises, on avait tenté de l'atteindre d'un boulet pour s'en débarrasser, mais sans succès. Le moral des troupes était au plus bas. Les hommes d'Arnold comptaient les jours, ils avaient hâte de quitter cet enfer de glace et d'humiliation où ils côtoyaient de plus en plus de malades et de mourants. L'hôpital général en était rempli.

Hélène avait trouvé refuge dans l'écurie d'une fermette de Sainte-Foy, le temps d'attendre l'assaut final. Le jour, elle tentait de visiter les habitants de Lorette pour recruter de nouveaux combattants. Son discours portait sur la fierté et le courage. Les Canadiens, disait-elle à ses auditeurs, en avaient plus que tous les autres peuples. Ils avaient affronté les mers pour venir vivre en terre française d'Amérique. Ils avaient tenu bon devant les difficultés sans nombre qu'ils y avaient rencontrées. Alors elle ne pouvait pas croire, concluait-elle, que quelques minables Britanniques allaient les clouer chez eux par la peur.

Certains habitants résistaient et lui servaient les arguments habituels. Elle avait toutefois du succès auprès des plus jeunes, séduits par son profil d'amazone et son discours allumeur. Au cours de la dernière semaine, elle avait enrôlé plus de trente rebelles : la plupart étaient sensibles à ses rondeurs, mais tous admiraient sa fougue.

❧

La porte de la dépendance s'ouvrit et le vent froid s'engouffra dans la pièce étroite aux effluves de crottin. Le vieux percheron de l'agriculteur y occupait une stalle tout au fond de l'espace et, malgré son odeur forte, la chaleur qu'il dégageait était bienvenue en ces nuits de gel et d'humidité. Simeon souriait de toutes ses dents devant l'air surpris d'Hélène. Celle-ci se demandait comment il s'y était pris pour la retrouver, alors qu'elle avait tout fait pour l'éviter depuis qu'elle avait fouillé son sac à Neuville.

Elle le regardait, bouche bée. Il avait l'air d'une apparition douloureuse et il avait visiblement bu, ce qui l'indisposa encore plus. Elle le fixa, sans l'inviter. Elle avait sorti son demi-pain de ration et s'apprêtait à se sustenter. Simeon brandit la cruche de vin qu'il tenait à la main et lui lança gaiement :

— Joyeux Noël !

Elle ne répondit pas. Elle n'avait pas compté les jours et ne se rappelait même pas que c'était le soir de la nativité. Cet amant était responsable du marasme amoureux qu'elle vivait depuis plusieurs jours. Elle savait à présent et avec certitude qu'elle n'était pas la seule femme dans sa vie. Pour lui, elle n'était qu'une conquête parmi d'autres. Désormais, elle le considérerait comme une triste et pénible erreur de parcours. Avoir découvert qu'il la trompait l'avait confortée dans son choix.

Elle comprenait mieux maintenant pourquoi ce grand artiste refusait tous les engagements, toutes les promesses d'avenir. Les conquêtes, pour lui, n'étaient que des aventures. Il disait l'aimer, l'adorer, mais il couchait avec une autre, peut-être avec plusieurs. C'était un homme à femmes qui célébrait la vie sans trop se soucier des sentiments de ses partenaires. Voilà ce qu'elle aurait dû réaliser dès leur première rencontre à Boston. Simeon était un coureur de jupon. Il pouvait passer d'une courtisane à l'autre, comme un peintre change de modèle. Et c'était pour ce tombeur qu'elle avait peut-être perdu Clément pour toujours.

Quelle folle elle avait été de penser un instant l'installer au cœur de sa vie ! À la place de son amant de jeunesse, son grand amour, son unique amour ! Clément, le magnanime, l'homme capable de parler d'attachement éternel, de lui jurer fidélité pour le reste de sa vie, elle l'avait laissé partir à la faveur d'un don Juan. Elle regarda le Yankee droit dans les yeux.

— Que feras-tu, Simeon, quand toute cette bataille sera terminée ? demanda-t-elle.

— Tu as de drôles de questions, répondit-il. Je verrai bien ! Si nous perdons la guerre, je retournerai là d'où je viens. Jamais je n'accepterai de marcher sous la férule des Britanniques ou de qui que ce soit d'autre, d'ailleurs. Dans mon pays, ils seront très bientôt évincés, et je pourrai vivre en homme libre. Par contre, si nous prenons la citadelle, il se pourrait que je décide de rester, car ce sera alors chez moi ici, autant qu'à Boston.

Il crut l'avoir suffisamment rassurée. Il s'approcha d'elle et la saisit par la taille, tentant de poser un baiser amoureux dans son cou. Elle se dégagea prestement.

— Lâche-moi, Simeon, lança-t-elle. Je n'ai plus du tout envie de faire partie de ta collection de… modèles ! Va te satisfaire avec ta Jenny.

Elle regretta aussitôt sa phrase, car elle contenait l'aveu de l'avoir espionné.

— C'est toi qui as fouillé dans mes affaires ?

— Oui, et j'y ai trouvé un menteur !

— Je ne t'ai jamais trompée, rétorqua Simeon. Je ne t'ai jamais promis que je n'aimerais que toi, si tu te rappelles bien.

— Je ne veux plus me souvenir de rien ! J'ai besoin de fidélité, moi. Pas d'un amateur de femmes, incapable de promettre qu'il aimera plus longtemps qu'une nuit.

— Tu me juges bien mal ! Je ne crois pas mériter tous ces reproches. Quand tu seras calmée, tu me laisseras m'expliquer, j'espère.

Simeon s'en voulait de n'avoir pas détruit les lettres et les dessins de Jenny. Déçu et frustré d'apprendre qu'Hélène avait enquêté sur lui, il tourna les talons et sortit en faisant claquer la porte.

Hélène accusa le coup. Elle eut le sentiment d'avoir le cœur vidé de tout amour. Elle avait peur surtout d'avoir perdu Clément en hésitant trop longtemps. Elle venait de chasser Simeon au profit d'un homme qu'elle avait laissé filer sans lui avouer qu'elle l'aimait et qu'elle l'avait choisi. Elle ne pouvait pas imaginer comment elle aurait pu être plus malhabile ! Elle s'en voulait jusqu'au fond de l'âme. Elle s'étendit sur son lit de fortune, une simple botte de paille éventrée, et s'abandonna à ses propres reproches. Sa vie était un véritable gâchis. Elle finit par s'endormir, les yeux bouffis d'avoir longtemps pleuré.

Quelques heures plus tard, la porte de l'abri s'ouvrit de nouveau et elle se réveilla en sursaut. Laurent Descôteaux entra, les vêtements saupoudrés de neige. Hélène laissa éclater sa colère :

— Que viens-tu faire ici et à cette heure, Laurent ? Je t'ai pourtant prévenu !

— J'en conviens, répondit-il, mais j'ai pensé que tu voudrais connaître ce que je sais.

— Quoi ? Qu'est-ce qui se passe ? s'enquit-elle, impatiente.

— Je me demande par où commencer, enchaîna-t-il avec un air hypocrite, cherchant à créer un maximum d'intérêt.

— Parle ! lui intima-t-elle avec irritation.

Il lui raconta alors qu'il était allé à l'auberge des sœurs Lachance, dans le quartier Saint-Roch, pour y célébrer Noël comme plusieurs autres. Il s'était offert un pot et avait pu trinquer avec tous les fêtards, grâce à ses économies. Les hommes s'ennuyaient et s'étaient réunis nombreux pour chasser la nostalgie que faisait naître cette nuit bien particulière, pour chanter et se soûler aussi.

— Ce n'est pas un endroit qui a bonne réputation, si tu veux savoir, ajouta-t-il.

Elle souleva les épaules avec indifférence. Il lui raconta que toutes les filles à soldats y avaient élu domicile pour vendre leurs charmes contre quelques pièces.

— Je ne suis pas sûr que Montgomery et Arnold seraient très heureux de ce qui se passe là-bas, continua-t-il, faussement prude. Tu devrais les voir, ces Yankees, ivres comme des cochons. Ils essayent d'apprendre à chanter *Vive la Canadienne* en empoignant les seins des traînées à pleines mains et en riant comme des pourris.

— Pourquoi me racontes-tu tout cela ? demanda-t-elle, contrariée. Cela ne m'intéresse absolument pas.

Laurent hésita. Il voulait donner du poids à ce qu'il s'apprêtait à révéler.

— Simeon était là ! Je l'ai vu monter à l'étage avec deux filles. Pas une, deux ! déclara-t-il avec un dégoût nettement surfait.

— Et alors ? Je ne l'aime plus, de toute façon, répondit-elle. Il peut bien s'acheter toutes les femmes du monde. Cela m'est égal à présent.

Laurent n'en revenait pas du peu d'effet de sa médisance toute calculée. Il resta bêtement sans mots et réfléchit, constatant avec satisfaction que la vie s'arrangeait bien pour lui : il semblait avoir un rival en moins. Et n'avait-il pas vu Clément en colère s'éloigner d'Hélène à Neuville ? C'étaient autant de signes encourageants. Ses manœuvres avaient-elles donc réussi ?

Hélène saisit d'une main la bouteille de vin oubliée par Simeon et en versa deux gobelets. Laurent ne s'attendait pas du tout à être ainsi invité dans l'intimité d'Hélène après ce qu'il venait de lui apprendre. Mais la femme de ses rêves semblait avoir besoin de compagnie…

— Clément a disparu depuis longtemps, dit-il. Et tu ne portes plus Simeon dans ton cœur, si j'ai bien compris ?

Hélène acquiesça tristement et poussa l'un des gobelets vers Laurent sur le petit établi qui lui servait de table. Il se rendit compte soudain qu'il était le seul prétendant encore en lice. Un sentiment très fort le traversa. Tout redevenait possible pour lui. Il en fut presque intimidé. Il chercha à se composer un visage charmeur à l'intention de la femme de sa vie. Le sourire qu'il lui présenta, avec toute la chaleur dont il était capable, n'arriva qu'à dévoiler sa mauvaise dentition.

— Tu as raison, Laurent. Et si j'avais du sentiment pour toi, tu vois, ce serait ta chance. Mais l'amour, ça ne se force pas, tu comprends… Alors bois et retourne te coucher. J'ai besoin de sommeil, j'ai une grande envie d'oublier. Joyeux Noël.

Elle entrechoqua leurs verres. Laurent ne saisissait toujours pas qu'il trinquait avec cette femme tant désirée.

— Je ne suis pas Clément, moi. Ni Simeon. Je ne te ferai jamais souffrir comme ils l'ont fait. Je m'en vais, puisque tu me le demandes. Mais promets-moi d'y repenser pour nous deux…

Il vida son verre et le posa sur la table. Il la fixa longtemps droit dans les yeux. Le regard gris de bête fauve d'Hélène, qui contenait toute la tristesse du monde, l'affola. Sur le sien, soudain plein d'espoir, on pouvait lire toute sa quête misérable d'un peu d'amour.

Elle ne répondit pas à sa demande. Il se contenta de garder de toutes ses forces son sourire de mendiant de tendresse. Hélène eut de la pitié pour le mal qu'il vivait. Il était, tout comme elle, un pauvre cœur éconduit. Comme elle, il avait une âme à vif. Pour la première fois, elle comprit sa douleur et le laissa à ses lambeaux d'espoir. Sans raison. Elle n'avait pas envie d'ajouter à la souffrance du monde. Il y avait assez de désillusions sur sa route pour l'instant.

CHAPITRE 8

30 décembre 1775. Québec.

L'après-midi du 30 décembre, la basse pression atmosphérique raviva tous les rhumatismes. L'humidité pénétrait jusqu'aux os, et le vent se levait. Montgomery exigea que Laurent Descôteaux retourne dans l'enceinte de la ville pour un dernier rapport sur l'état d'alerte de la citadelle. Il espérait que les défenseurs avaient décidé de faire relâche pour le temps des Fêtes.

De gros nuages noirs fonçaient sur le fleuve et promettaient la tempête stratégique qu'on guettait depuis des semaines. L'attaque pourrait bien avoir lieu au cours de la nuit suivante, surtout si les citadins avaient baissé la garde et que la neige était au rendez-vous. Laurent assista au conseil de guerre où on discuta du plan et distribua les ordres. On feindrait une approche du côté de la porte Saint-Jean pendant qu'Arnold et Morgan donneraient l'assaut par la basse ville. Les deux hommes exécuteraient une percée en longeant l'estuaire de la rivière Saint-Charles, et Montgomery contournerait le cap pour franchir la barrière de la rue Près-de-Ville, sur la grève. De là, ils fonceraient ensemble à la conquête de la haute ville.

Vers la fin de la réunion, Laurent s'apprêtait à partir accomplir son travail d'espion, tout fier de pouvoir démontrer encore une fois son courage devant Hélène, lorsqu'une imposante quantité d'hommes et de chevaux arrivèrent. C'était Clément Gosselin qui rappliquait avec plus d'une centaine de volontaires en armes. Hélène ne tint plus en place. Le retour de Clément dynamisa aussi tous les conseillers assemblés, et le sourire revint au visage de chacun. L'arrivée des renforts tombait à point, dans un climat de plus en plus difficile et tendu.

Ces derniers jours, Montgomery avait eu à étouffer beaucoup de conflits entre officiers. Plusieurs trouvaient toujours l'entreprise trop risquée et voulaient s'en aller. D'autres reprochèrent au général de les mener au combat à un jour de la fin de leur contrat. Arnold répliqua en livrant des propos grandiloquents, afin de fouetter le moral des plus hésitants.

Simeon avait refusé de prendre la parole en prétextant un mauvais mal de gorge. En réalité, il n'avait plus le moral. Le retour de Clément était sûrement pour quelque chose dans ce soudain malaise. Le fait d'avoir été éconduit aussi. Sa rupture avec Hélène l'avait touché plus qu'il ne l'aurait cru. Il se rendit compte que cette femme était plus importante dans sa vie que toutes les autres avant elle. Il hésita à lui avouer la chose, car cela ne cadrait pas avec sa philosophie personnelle. Mais pour la première fois de son existence, l'une de ses conquêtes le rendait misérable et le forçait à douter de sa culture de libertin.

Avec ce supplément de miliciens, Arnold, friand d'effets dramatiques, conclut que son armée se dirigeait vers une victoire certaine. Seuls Simeon Goodwin et Laurent Descôteaux manquaient d'enthousiasme devant le retour remarqué de Clément. Laurent, surtout, découvrit que son espoir de gagner l'affection d'Hélène venait d'en prendre un coup. Pendant quelques jours trop courts, il avait cru être sorti vainqueur de la rivalité à trois pour obtenir les faveurs de la belle. Il savait maintenant qu'elle était toujours éprise de son cousin.

Il n'avait eu qu'à voir la joie immense illuminer ses yeux couleur de cendre quand l'homme au tricorne avait mis les pieds dans la place. Son sourire en disait plus long que toutes les déclarations d'amour. Laurent sortit donc en mission avec beaucoup moins d'entrain et de conviction. Le sens même de sa démarche lui échappa soudain. Par ailleurs, la proximité du combat le remplit de ses anciennes peurs. Avant de foncer dans le froid, il but presque la moitié de son flacon de bagosse pour se donner du courage.

Le chargement de bois, tiré par le vieux percheron, s'approcha de la porte Saint-Jean. Laurent, son chapeau de loutre profondément calé sur son crâne et le large collet de son manteau de laine relevé sous le menton, était déjà légèrement ivre quand il passa sous le porche de la ville. L'idée de s'enfuir lui vint au moment où les lourdes barrières se refermèrent dans son dos en grinçant.

Trop tard. Il était pris au piège. Il n'était plus qu'un amoureux meurtri et plein d'apitoiement. L'alcool aidant, il en voulait au monde entier. Son illusoire intermède d'espoir s'était vite terminé, comme tout dans sa vie de malchanceux. Il avait pourtant mis tellement d'efforts à manigancer pour écarter ses deux rivaux ! Il s'était enrôlé malgré sa peur viscérale des armes. Il était devenu l'un des principaux espions des Bostonnais. Il avait déployé toute son ingéniosité à démolir l'image de ses adversaires aux yeux de la femme qu'il aimait. Il les avait manipulés à tour de rôle et montés l'un contre l'autre avec un talent indéniable. Tout cela pour rien ! Hélène tenait toujours à Clément. Elle l'aimait. Il l'avait lu dans son regard.

Dieu qu'il était jaloux de cet homme ! Hélène n'avait aucun intérêt pour sa propre petite personne et le lui avait clairement dit. Il réalisa qu'il était sur le point de risquer sa vie de nouveau, mais n'en voyait plus vraiment la raison. Pourquoi le faire ? Tous les motifs qui l'avaient mené à entreprendre cette dangereuse mission lui semblèrent avoir fondu. Il se demanda ce qu'il faisait dans cette sale guerre, lui qui n'avait jamais voulu se battre et abhorrait la violence. Il n'était devenu soldat rebelle que pour gagner l'attention de cette femme qui l'épuisait de désir. Sans la possibilité de la conquérir, plus rien n'avait de sens ni d'importance. Il revit sa vie minable devant l'Éternel.

Mais il se mit quand même à travailler. Malgré sa vision trouble, il découvrit que l'armée de Carleton était en alerte permanente à l'intérieur des murs. Défilés continuels de fantassins, relève régulière de la garde sur les remparts, transport de munitions ; la cité grouillait d'activités défensives. On était loin de l'état de relâche évoqué par Montgomery pour se préparer aux festivités. Le temps maussade et les célébrations des fêtes n'avaient pas affaibli les défenses de la ville, bien au contraire. On remplaçait les canonniers sur l'heure et les Tuniques rouges défilaient dans les rues en rangs ordonnés, réalisant des missions diverses.

Les cent soixante bouches à feu puissantes de la citadelle étaient constamment entourées d'obusiers prêts à allumer la mèche. La discipline militaire contrastait du tout au tout avec le relâchement des troupes américaines. Les hommes de Montgomery, eux, étaient en piteux état comparés à ces soldats bien entraînés et armés jusqu'aux dents. Derrière les murs, personne ne semblait craindre une éventuelle attaque. Cela tranchait avec les contractuels d'Arnold, de plus en plus conscients de leur faiblesse et de leurs manques.

On lui disait que les blessés et les malades étaient peu nombreux et que la nourriture était plus que suffisante. Le bois était la seule denrée rare. Laurent perdit tout goût d'affronter cette armée en bonne santé, équipée, à l'abri de l'ennemi et protégée de l'hiver par des vêtements adéquats. Ses anciennes frayeurs lui remontèrent dans l'âme. Chaque Britannique qu'il croisa lui rappela le cauchemar de son enfance quand son propre père était tombé devant ses yeux horrifiés, fusillé pour avoir refusé de donner ses bêtes.

Puis tout devint clair dans son esprit : il fut soudain convaincu que les chances des Canadiens et des Yankees de gagner la guerre étaient nulles. Pourquoi devrait-il continuer à se battre contre des forces manifestement supérieures ? C'était une folie évidente d'attaquer l'ennemi dans des conditions d'infériorité. Tout lui sembla alors nettement absurde : il se persuada sans difficulté que les siens marchaient tout droit vers la mort. Le maudit Clément était revenu pour le priver de toutes ses raisons d'agir ; il pouvait bien aller au diable comme tous les autres ! Mais lui-même ne voulait plus risquer de se faire tuer. Comme tous ceux qui étaient restés neutres, il n'avait plus du tout envie de servir de chair à canon.

Il en voulait à la vie, il en voulait à l'amour, il en voulait à Hélène de lui avoir réservé un destin aussi triste et misérable. Il avait pourtant tant d'affection à lui offrir ! Tant pis pour elle. Comment avait-elle pu ne pas s'en rendre compte ? Son émotion amplifiée par l'alcool qu'il avait avalé, un irrésistible besoin de vengeance fit son chemin dans sa tête. Il réalisa soudain qu'il n'avait qu'un geste à faire pour éviter de mourir sans raison : rester dans la ville en se déclarant déserteur de l'armée des rebelles. Il lança son flacon au loin, sauta du siège de la charrette en marche et vint s'affaler dans les bras des militaires devant ses coéquipiers éberlués.

— Je sais ce que les Américains préparent. Je veux parler à votre chef, cria-t-il.

Les soldats l'empoignèrent et ligotèrent les deux hommes qui l'accompagnaient, surpris et terrifiés par sa conduite inattendue. Tous furent dirigés vers la caserne et interrogés par un officier qui ne parlait pas français. Laurent ne comprit pas un mot de ce qu'on lui demanda. La Tunique rouge le gifla pour le dégriser, puis lui fit boire un café fort. Effrayé et engourdi, Laurent ne parvint pas à articuler correctement. On le frappa encore et il se mit à pleurer comme un enfant. Quand arriva l'interprète, il lui dit qu'il savait tout des intentions des rebelles. Les soldats le conduisirent alors à Carleton, en plein conciliabule avec Hector Cramahé et Mgr Briand, derrière les murs épais du palais.

Le feu dans l'immense foyer de pierre avait de la difficulté à réchauffer l'air de la grande salle du prestigieux bâtiment. Des odeurs d'ancienne brasserie montaient de la cave de l'édifice. On fit asseoir Laurent sur une chaise capucine. Cramahé se pencha à l'oreille de Carleton tout en jetant un coup d'œil inquisiteur au traître qu'on venait de lui amener. Mgr Briand entreprit de marcher de long en large devant le prisonnier, nerveux et soulevant du pied sa lourde soutane à chaque pas. Il s'approcha du transfuge en brandissant son crucifix d'or serti de pierres précieuses.

— Parle, misérable pécheur ! ordonna-t-il.

Le prélat fut plus agressif que les deux administrateurs britanniques. Pour de bonnes raisons. Carleton, qui trouvait ses interventions trop molles auprès de ses ouailles, venait de le semoncer vertement. De plus en plus de rebelles se levaient et s'armaient contre le roi, même à l'intérieur des murs de la ville, avait prétendu Cramahé, scandalisé. Si l'Église ne faisait pas mieux son travail, ils allaient tous y passer, avait-il dit.

L'ecclésiastique se défendit en rappelant la rigueur de son mandement au mois de mai précédent. Il avait tout tenté pour décourager la désaffection. Habitué au respect, au baisemain et au décorum, il s'étonna qu'on le réprimande ; le traître repentant qui tremblait de tous ses membres lui fournissait une bonne occa-sion de se ressaisir et de démontrer son intransigeance.

— Ils sont malades, beaucoup ont la variole. Ils veulent retourner chez eux, que je vous dis ! Leur contrat est terminé. Bientôt, ils manqueront de munitions, déclina Laurent en tenant sa joue endolorie.

— Quels sont leurs projets ? demanda Carleton.

— Si la neige et le vent continuent, ils vont donner l'assaut la nuit prochaine afin de vous surprendre, en misant sur la noirceur et la tempête.

— Où attaqueront-ils ? l'interrogea Cramahé, soudain très tendu.

Laurent hésita. Il se rendit compte de la gravité de la situation. En révélant la stratégie des rebelles, il les perdrait. Il pensa à Hélène, à l'importance que ce combat avait pour elle depuis toujours. Mais il était cent fois plus sensible à son rejet. La rancune et l'apitoiement furent plus forts que son désir délirant. Le désespoir prit le pas sur tout autre sentiment.

— Un contingent va faire semblant d'enfoncer la porte Saint-Jean, dit-il, mais la véritable attaque aura lieu par la basse ville. Un détachement passera par Près-de-Ville, au pied du cap, dans la rue Champlain, tandis qu'un autre foncera par la rue du Sault-au-Matelot, du côté du palais. Ils tenteront de se rejoindre au bas de la côte de la Montagne, après avoir pris d'assaut les barricades qui ferment la citadelle le long du littoral. Là, ils se regrouperont et se lanceront à l'attaque de la haute ville.

Carleton avait entendu ce qu'il voulait. Cela confirmait ce que ses propres espions lui avaient déjà rapporté. Il en avait beaucoup à son service, car il craignait Montgomery comme la peste. Celui-ci, en effet, avait combattu jadis sous les ordres de Wolfe et connaissait parfaitement la forteresse, ce qui inquiétait le général. Il exigea qu'on donne un bol de soupe chaude à ce déserteur fort utile et qu'on lui rende sa liberté. Puis il hurla ses ordres. Il fallait consolider les barricades aux deux endroits désignés par le rebelle, y placer canons et soldats en bon nombre pour protéger ces points précis donnant accès à la ville forte, préparer ainsi une souricière pour prendre l'ennemi.

Mgr Briand, lui, s'agenouilla et pria, théâtral, faisant mine d'être scandalisé par tant de délation et de violences à venir. Il demanda à Dieu d'être miséricordieux envers ses ouailles. Debout devant la fenêtre, contemplant la neige qui commençait à tomber dru, il joignit les mains et leva les yeux vers les gros nuages gris, comme pour implorer la pitié du ciel. Il appela la clémence de Dieu qui conférerait aux vainqueurs anglais un pouvoir absolu sur les hommes et femmes conquis. Il demanda pardon à Dieu au nom duquel il avait mis la plupart des Canadiens français à genoux en leur interdisant de se battre au côté des Américains s'ils voulaient sauver leur âme.

À l'extérieur des murs, Montgomery s'inquiéta de ne pas voir revenir Laurent Descôteaux et les autres livreurs de bois. Il supposa à regret qu'on les avait faits prisonniers. L'histoire de Laurent le préoccupait, mais il tenta de se persuader que son espion n'avait pas parlé. Peut-être avait-il été simplement retardé. Mais il demanda néanmoins à tous les soldats de dormir habillés, prêts pour une attaque dans la nuit. Il n'avait pas le choix : l'assaut devait avoir lieu le soir même, sinon il n'y en aurait pas.

❧

Hélène n'arrivait pas à fermer l'œil. Clément l'avait ignorée depuis son retour, l'abandonnant ainsi à son désarroi. Il veillait au confort et au moral de ses nouvelles recrues et ne remarqua tout simplement pas sa présence. Pourquoi se serait-il occupé d'elle ? Il était convaincu qu'elle lui avait préféré son rival. Il semblait n'avoir aucun temps ni intérêt pour les explications.

Elle aurait tellement voulu avoir l'occasion de lui apprendre ce qu'elle savait désormais de Simeon, lui dire qu'il avait tort de la fuir parce qu'elle l'aimait, lui, et nul autre. Elle l'avait choisi. L'affaire Simeon n'avait été qu'un immense malentendu, une erreur infiniment douloureuse. Seule dans sa petite écurie, étendue sur le dos, les yeux grands ouverts, elle fixa les larges poutres, équarries à la hache, qui soutenaient la toiture de chaume. De grosses toiles d'araignées retenaient l'humidité que dégageait l'haleine du cheval qui partageait son abri. L'âme vide et noire, elle se fit encore des reproches, énonça sans cesse les mêmes regrets. Clément avait été humilié. Il ne semblait plus disposé à revenir vers elle, se croyant vaincu par l'Américain. Elle en avait la poitrine oppressée de peine et le souffle court.

À trois heures et demie du matin, elle entendit l'appel au-dehors. Le vent de la tempête sifflait dans les combles. Montgomery, qui avait juré à ses hommes qu'il prendrait son souper du jour de l'An à l'intérieur des murs de Québec ou en enfer, rassembla ses troupes pour l'assaut final. Hélène hésita à se lever, l'âme accrochée aux lambeaux de ses mésaventures amoureuses. Ses pensées sombres l'avaient vidée de tout courage. Elle était seule, maintenant. L'unique lien qui la rattachait à Clément était leur combat commun.

À cette idée, elle se ressaisit. Ce n'était pas le moment de flancher. Elle se rappela son père Marc-Antoine : « Relève-toi, relève-toi encore, relève-toi toujours, jusqu'à mourir debout s'il le faut. » Il n'y avait que cette phrase, aux instants difficiles de sa vie, pour la remettre en marche. Elle s'arracha à sa paillasse humide. Il fallait qu'elle oublie tout le reste. L'heure de la vengeance, qu'elle attendait depuis l'âge de treize ans, venait de sonner. Son ennemi était à deux pas. On allait prendre d'assaut cette ville emmurée et déloger pour toujours les Britanniques de l'Amérique française.

Elle partait punir ces abominables tortionnaires et leur faire payer le prix de son enfance volée.

Elle en oublia un instant tous les Clément et les Simeon du monde ; son chagrin d'amour se mua en haine absolue de l'ennemi. Elle se battrait pour venger son père. Quand elle sortit dans la rafale, la porte emportée par le blizzard vint percuter le mur de planches chaulé avec fracas. Le percheron hennit à l'intérieur. Le vent était si fort qu'elle eut du mal à reprendre son souffle.

Arrivés de partout, les combattants se rassemblaient par groupes prédéterminés. Tous avaient obéi aux ordres et exhibaient un carton sur leur chapeau ou une branche d'épinette pour les distinguer des militaires britanniques. La plupart portaient des vêtements volés à l'ennemi par les soldats de Montgomery et ne voulaient surtout pas être pris pour cible par leurs camarades.

Chacun avait écrit quelque chose à sa façon : « Liberté », « L'indépendance ou la mort », « *mors aut victoria* ». D'autres avaient simplement inscrit le nom de leur femme ou de leurs enfants. Trois équipes se partageaient les huit cents guerriers encore valides. Les plus malades avaient été exemptés, laissés aux soins d'Isaac Senter à l'hôpital général. Plus de deux cents hommes s'entassèrent devant Montgomery, qui se tenait debout sur un promontoire pour être vu de tous. Arnold rassembla tous les autres. Le départ fut sonné à quatre heures.

On vit Montgomery disparaître avec ses troupes dans la poudrerie en direction de l'anse au Foulon. On aurait dit une cohorte de fantômes marchant se jeter dans le fleuve. Une armée silencieuse s'éloigna dans la neige qui étouffait le bruit des pas. Hélène regarda ces centaines de soldats se laisser avaler par le blizzard et l'obscurité de la nuit. Ce détachement important suivrait un petit sentier en bas du cap, entre la falaise et le fleuve, si étroit que les hommes devraient marcher en file indienne.

À son tour, Arnold invectiva ses troupes et leur ordonna de prendre la direction de Saint-Roch. Simeon était du nombre. Les recrues de Clément, par contre, accompagnaient le troisième groupe, dirigé par le major Brown, et devaient simuler une attaque devant la porte Saint-Jean pendant que les deux corps principaux prenaient leurs positions d'assaut respectives. Une fois la diversion accomplie, les ordres de Clément consistaient à rejoindre l'armée d'Arnold du côté de Sault-au-Matelot, près de la rivière Saint-Charles. Tous avaient pour consigne de guetter une fusée éclairante, signal convenu pour l'assaut final.

Hélène, elle, avait hérité de l'unité d'infirmerie, remplaçant Senter, resté à l'hôpital général pour accueillir les blessés. Elle conduisait un large traîneau à patins recourbés, tiré par une paire de percherons. C'était une tâche qu'elle maîtrisait. Elle ne put s'empêcher de se revoir seize ans plus tôt, dans des circonstances identiques, lors de la bataille de Sainte-Foy ; un combat qu'elle avait gagné, mais qui lui avait enlevé l'être qu'elle aimait le plus au monde, son père.

Elle regarda Clément s'éloigner dans la poudrerie jusqu'à ne plus distinguer son tricorne. Il ne lui avait prêté aucune attention, et Simeon non plus. Elle s'en désola : comment ces deux hommes, qui avaient partagé sa couche et ses caresses, pouvaient-ils marcher vers la mort sans un mot pour elle, sans un regard, même pas un geste d'adieu ? Elle aurait tant rêvé que son cousin soit près d'elle en cet instant si important. L'âme remplie de peine, elle se ressaisit et fouetta ses chevaux, craignant de perdre les autres de vue dans la tempête.

Seules quelques lanternes luttaient contre la nuit à tous les cent pieds, le long des murailles. Elles avaient été installées après la traversée du fleuve par les troupes d'Arnold pour faciliter le guet des sentinelles. L'armée avança le plus discrètement possible, l'effet de surprise étant la clé de la stratégie des rebelles, moins favorisés que les défenseurs à tous les points de vue. Une poignée d'hommes, courageux malgré le manque de matériel, marchait à l'assaut de la ville la mieux gardée d'Amérique. David contre Goliath.

Hélène eut soudain des doutes. Pourquoi tant des siens étaient-ils absents pour cet assaut ? Pourquoi appartenait-elle à une société qui refusait de se lever en bloc pour gagner sa liberté ?

Tout aurait été si simple si l'ensemble des citoyens écrasés par la domination étrangère s'étaient donné la main pour balayer les ennemis ! Ils auraient eu la force du nombre. Pendant un moment, elle se dit que l'Église lui avait volé son peuple, son pays et sa liberté. Puis elle se concentra sur sa tâche, déterminée à garder la motivation malgré le questionnement douloureux qui l'habitait.

Parvenus au pied du cap Diamant, les hommes de Montgomery furent enveloppés par une noirceur presque totale. Les nuages étaient bas et déchargeaient quantité de neige, assombrissant les lieux comme jamais. On n'y voyait que dix pas devant soi. La marée montante avait brisé les glaces sur la rive et les soldats trébuchèrent en cherchant leur chemin vers Près-de-Ville et la barricade de la rue Champlain. Tous avancèrent l'un après l'autre. On tenta au mieux d'empêcher la neige de mouiller la poudre des fusils.

La bourrasque soufflait et des craquements secs s'élevaient des gros blocs soulevés par le fleuve et le reflux puissant. Montgomery, qui misait sur la surprise et le mauvais temps, était de plus en plus convaincu de pouvoir pénétrer dans la place forte sans rencontrer de résistance. Il marcha donc en tête du régiment d'un pas alerte, pour donner l'exemple et fouetter le moral de ses hommes. Son épée bien haute indiquait à ses soldats la direction à prendre. Il franchit sans peine une première barricade.

Il ne savait pas que la seconde barrière de la rue Champlain n'avait jamais été aussi bien défendue. Grâce aux renseignements qu'avait fournis Laurent Descôteaux, Carleton y avait fait monter la garde toute la nuit par une trentaine de miliciens. Le capitaine Chabot, de la marine marchande, avec ses quinze matelots, était venu en renfort vers deux heures du matin. Tous s'embusquèrent dans la maison de Simon Fraser, surnommé la Potasse. On avait disposé une batterie de cinq canons pour interdire cet accès à la ville.

Montgomery donna l'ordre de lancer une fusée éclairante pour signaler le début de l'attaque. Intrépide, il était à cinquante pas de la cible quand il jeta ses hommes furieusement contre l'objectif. À cet instant, boulets et rafales de mitraille le foudroyèrent avec toute son avant-garde. Il fut le premier à tomber, frappé d'une balle en pleine poitrine. Il s'affala dans la neige, tête première, le sabre brandi, devant ses soldats désemparés.

Son aide de camp et plusieurs autres assaillants furent fauchés à leur tour. Avant même d'avoir pu tirer un seul coup de fusil, les Américains durent reculer et s'enfuir, laissant les morts et les blessés dans la poudreuse épaisse. On n'y voyait presque rien. Le désordre fut total. Certains fuyards prirent la mauvaise direction et se retrouvèrent les pieds dans l'eau froide du fleuve. Quelques-uns s'y noyèrent, prisonniers des glaces. Quand le bruit des armes cessa, la tempête avait déjà recouvert les premières victimes d'un mince linceul blanc.

Dès qu'ils virent les fusées éclairantes, les Canadiens et les Américains sous le commandement de Brown et de Gosselin ouvrirent le feu sur la porte Saint-Jean. Canonnade et mitraille là aussi: l'attaque devait être assez massive, avait dit Montgomery, pour que Carleton croie que toute l'armée des Yankees avait concentré l'assaut en cet endroit.

⁓

À l'intérieur de l'enceinte, Laurent Descôteaux, à qui on avait rendu sa liberté, errait dans les rues, de plus en plus ivre, l'âme remplie de culpabilité. Sous son manteau de laine et son casque de loutre, il grelottait et pleurait, tourmenté de remords. Il avait vu un capitaine de l'armée britannique, qui effectuait sa ronde de nuit dans la haute ville, descendre à la course la rue Saint-Louis en criant: « Levez-vous ! » Un militaire ordonna qu'on sonne la cloche d'alarme et qu'on fasse battre le tambour.

Les soldats de la citadelle avaient dormi tout habillés. En moins de deux, chaque homme courut à son poste. Laurent vit la majeure partie de la garde se diriger vers la porte Saint-Jean où l'attaque avait commencé. Il entendit Carleton hurler ses ordres et réclamer que les soldats restants se réunissent sur la place du marché dans la basse ville. Sans sa trahison, jamais les Britanniques n'auraient deviné que le véritable danger se trouvait au bas de la falaise, où on entendait déjà la détonation des fusils. Laurent réalisa qu'il avait livré Hélène et les Américains à la défaite, peut-être à la mort. Il cacha son visage entre ses mains gelées. Il avait beau boire tout l'alcool qu'on lui avait offert pour ses services, il n'arrivait plus à anesthésier sa honte.

Par-delà les murailles, à quelques milles de là, Arnold vit le ciel s'illuminer et ordonna aux hommes de foncer. Il avait traversé le faubourg Saint-Roch et longeait à présent le rivage de l'estuaire de la rivière Saint-Charles. Il cria aux braves de s'engouffrer dans la rue du Sault-au-Matelot. Daniel Morgan et ses hommes prirent d'assaut la première barricade sans rencontrer de véritable résistance. Ils s'enthousiasmèrent et crurent avoir gagné la partie.

Au premier rang des combattants, Simeon s'affairait avec d'autres à dresser de longues échelles pour escalader la seconde barrière au fond de l'étroite ruelle. Des étudiants du Séminaire, défenseurs de circonstances tout à fait inexpérimentés, furent encerclés par les Américains qui foncèrent au pas de course. Ne les voyant pas tirer, les Yankees crurent que les jeunes venaient les appuyer et cherchèrent à leur donner la main en criant : « *Liberty !* » Comme ils les virent plutôt s'enfuir comme des rats, les soldats d'Arnold les désarmèrent.

Quand les canons de la ville commencèrent à leur cracher des boulets depuis la falaise, les combattants américains furent saisis d'étonnement. Ils découvrirent, dans un affolement complet, qu'on les attendait de pied ferme. À coup sûr, quelqu'un avait prévenu l'ennemi. De la seconde barricade partit alors un tir nourri. Le premier blessé qu'Hélène dut accueillir fut Arnold lui-même, touché gravement à la jambe. Plusieurs belligérants moururent dans la première offensive, et le général fut atteint à la cheville gauche. Sous les ordres d'Hélène, deux miliciens l'aidèrent à marcher jusqu'au traîneau d'infirmerie.

Le capitaine Morgan prit la relève du commandement, et la charge fut maintenue. L'un des miliciens de la cité, un géant doué d'une force peu commune, vint arracher les échelles d'escalade et s'en servit pour pénétrer au deuxième étage des maisons avec d'autres soldats de la citadelle. Depuis les fenêtres, ils ouvrirent une salve meurtrière sur les attaquants. Carleton avait eu la brillante idée de lancer deux régiments depuis la porte du Palais. Le second surprit les Yankees, ouvrant le feu dans leur dos et les tenant en souricière.

Hélène paniqua. Où était Clément ? Elle avait beau chercher, elle ne le voyait pas. Ne devait-il pas se joindre au bataillon d'Arnold dès sa manœuvre de diversion accomplie ? Était-il parmi tous ces soldats déjà tombés sous le tir nourri des fusils et des canons anglais ? Ce fut Simeon qu'elle aperçut, en plein corps à corps à la baïonnette avec un groupe de royalistes qui tentaient de recharger leurs armes à bourre. Il se battait comme un déchaîné, mais le combat faisait rage autour de lui, et Simeon, qui s'était audacieusement avancé, était en très mauvaise posture.

Incapable de s'arracher à la scène, Hélène l'observa, aux prises avec deux militaires britanniques au sommet de la barricade. Il venait d'en tuer un lorsque Hélène en vit un second foncer sur lui par-derrière, baïonnette au canon. Ce fut plus fort qu'elle. Elle cria de toutes ses forces :

— Simeon !

Il se retourna juste au moment où la lame s'enfonçait dans son dos. Hélène s'empara du mousquet d'Arnold et se précipita à son secours, mais le fusil avait déjà brûlé sa poudre. Clément et ses hommes accoururent en renfort. Il était en retard et avait parcouru au pas de course la distance entre la porte Saint-Jean et la rue du Sault-au-Matelot. Il entendit le cri d'Hélène et eut le temps de voir Simeon tourner la tête et recevoir le coup fatal.

Clément épaula, tira, et le soldat à la baïonnette s'effondra. Mais le coup était parti trop tard. En tentant de venir en aide à Simeon, Hélène trébucha, la tête la première dans l'épaisse neige. Devant son désarroi, Clément s'élança à son tour au secours du

Yankee. Il ne put supporter de voir souffrir ainsi Hélène, même si c'était son rival qui tombait. Il se battit comme un enragé et tua deux soldats de sa baïonnette avant de récupérer Simeon qui essayait de fuir en rampant, mais sans forces, pendant que les tirs redoublaient et que des centaines d'hommes étaient faits prisonniers autour de lui. Clément agit sans hésiter : il chargea Simeon sur son épaule et revint vers le tombereau déjà bondé de blessés. Il aimait assez Hélène pour tenter de sauver celui qu'elle lui avait préféré.

Il laissa choir le corps inerte du Bostonnais parmi les autres soldats gémissants et eut un échange de regard infiniment triste avec Hélène, éplorée. Elle avait cette même expression qui s'était gravée dans sa mémoire des années plus tôt, quand son père avait été atteint sur le champ de bataille de Sainte-Foy. Elle était paralysée, dans un état de torpeur totale. Il la bouscula pour lui signifier de se ressaisir et lui indiqua d'un geste de s'éloigner en direction de l'hôpital général.

— Secoue-toi, Hélène ! Pour le moment, il est toujours vivant. Conduis-le au plus vite à Senter. Si tu l'aimes, fais ça pour lui. Allez, bouge.

Il lui mit les guides dans les mains et fouetta les deux percherons. Puis il retourna dans la mêlée.

Les tirs incessants des Britanniques avaient dispersé les derniers rebelles sous ses ordres. Il vit les Américains jeter leurs armes par les portes et les fenêtres des maisons où ils s'étaient réfugiés. Certains se rendirent en tendant leur fusil, crosse devant. D'autres revinrent en courant vers lui, évitant les salves meurtrières des Britanniques qui gagnaient du terrain et refermaient leur piège. Clément fut surpris toutefois de voir que les défenseurs de la cité ne pourchassaient pas les fuyards. Pourtant, la défaite des Américains avait été totale. Quelques-uns de ses hommes enjambaient déjà les glaces de la rivière Saint-Charles pour échapper à la mort.

Carleton semblait avoir refusé de poursuivre les assaillants et s'était contenté de bloquer tout accès à la ville après avoir conduit des centaines de prisonniers à l'intérieur de l'enceinte. Clément fut le dernier à vider son arme sur l'ennemi qui fonçait sur lui. Le silence retomba peu à peu sur la scène du carnage. La poudrerie faisait toujours rage et recouvrait rapidement les morts. À peine une poignée de soldats avaient échappé au traquenard de Carleton, que seule une trahison honteuse pouvait expliquer.

CHAPITRE 9

1ᵉʳ janvier 1776. Côte sud du fleuve Saint-Laurent.

Partout dans les campagnes environnantes, le son des violons et des talons résonnait dans les chaumières. Les rigodons succédaient aux quadrilles à un rythme d'enfer. Dans ce pays de neige où l'hiver n'en finissait plus, la fête était une nécessité. Les tensions et les choix difficiles à faire, en ce contexte de rébellion, ajoutaient au goût de chacun de célébrer, de boire et d'oublier.

La nouvelle de la défaite des Américains, aux portes de la ville, n'était pas encore parvenue jusqu'au fond des rangs et aux villages éloignés. Les archets volaient, les cuillers et les talons rythmaient les pas, la vie reprenait sa place et effaçait la peur. Dès le petit matin neigeux du jour de l'An, dans toutes les familles, l'aîné des enfants demanda au père, selon la coutume, la bénédiction du Nouvel An. Tous s'agenouillèrent devant le chef de famille, celui qu'on disait le remplaçant du prêtre, qui étendit les mains au-dessus des têtes et donna la bénédiction. On apprenait ainsi que la soumission à l'autorité était bénéfique.

Les ménagères mirent à chauffer les pâtés, les gâteaux et les beignes, alors que les hommes descendaient à la cave chercher les cruchons d'alcool fort. Des odeurs appétissantes flottaient dans l'air, annonçant des moments de réjouissance longtemps espérés. Les marmots couraient partout, avec les cousins et les cousines, des friandises plein la bouche, espiègles et joyeux. D'autres tournaient dans leurs mains heureuses, qui une orange, qui un grimpant, qui une toupie ou un jouet de bois fabriqué maison.

Sur des rythmes endiablés, les jeunes hommes faisaient tourner les filles en portant les paumes sur leurs hanches et parfois même un peu plus bas. Tout le bonheur du monde se réinventait en ce jour de fête qu'on attendait l'année durant. Par-delà la défaite et l'état de domination, le vin et l'oubli redonnaient ses droits à la vie. Nul n'avait idée encore qu'à Québec, en ce jour de célébration, des morts par centaines gisaient sous la neige poussée par un violent nordet depuis la veille.

Mais plus tard dans la journée, la nouvelle de la victoire de Carleton avait atteint la plupart des foyers, car les invités et les parents arrivaient de partout pour partager les détails des affrontements, amplifiés par la rumeur. Beaucoup de ceux qui avaient refusé d'appuyer les Américains jurèrent qu'ils avaient prévu la défaite des Yankees et se félicitèrent d'être restés neutres et d'avoir résisté aux demandes d'enrôlement. On allait peut-être pouvoir enfin profiter d'un temps de paix après tous ces troubles incessants.

Plusieurs rappelèrent les prédictions sombres de Mgr Briand, qui avait jeté un mauvais sort, le sien et celui de Dieu, sur les partisans des rebelles. L'un des *calleurs* de quadrille, particulièrement réjoui par cette issue des combats, improvisa un couplet de circonstance :

> *Les premiers coups que je tirai sur ces pauvres rebelles*
> *Cinq cents de leurs amis ont perdu la cervelle*
> *Yankee Doodle, tiens-toi ben*
> *Entends ben c'est de la musique*
> *C'est la gigue du Canadien*
> *Qui surprend l'Amérique*

❧

À l'intérieur des murs de la citadelle, on célébrait aussi la victoire sur les Bostonnais et leurs alliés. Carleton avait demandé à ses hommes d'aller ramasser les corps dans la neige au pied du cap, dans Près-de-Ville, et jusqu'au bord de la Saint-Charles, près de la rue du Sault-au-Matelot. Les officiers prisonniers avaient été confinés au Séminaire de Québec. Les simples soldats, eux, étaient enfermés au couvent des Récollets. Les hommes de Carleton lui avaient rapporté le cadavre d'un haut gradé qu'on prétendait être Montgomery. On l'avait trouvé au premier rang des ennemis tombés sous les tirs, à proximité de la maison de Simon Fraser, le bras levé, son épée à la main, tout raidi par le froid et la mort. Carleton fit identifier le sabre par les prisonniers américains. Un soldat du Congrès, particulièrement affecté par la tournure des événements, pleura en reconnaissant l'arme de Montgomery.

Dans les casernes neuves, les Habits rouges célébraient à leur façon le premier de l'an et leur victoire facile sur les Yankees. On avait mis à leur disposition de nombreuses filles de joie qu'on pouvait s'offrir pour quelques pièces. Les hommes allaient à tour de rôle se soulager dans la pièce de l'armurerie récemment ajoutée à la base militaire. Dans la grande salle en pierre, la musique écossaise retentissait et les bocks de bière s'entrechoquaient, puis se renversaient sur les mentons des officiers et la gorge nue des racoleuses.

Au beau milieu de la caserne, on plaça une vieille chaise capitaine sur un petit promontoire et on y installa Laurent Descôteaux, qu'on avait invité à se joindre aux vainqueurs. Un écriteau annonçait à tous : « Voici l'homme par qui la victoire est venue. » On lui offrit à boire sans arrêt. Laurent, mal à l'aise, répondit aux applaudissements et aux toasts des soldats par des sourires nerveux et agacés. En réalité, il avait profondément honte de lui-même. Il comprit qu'il avait ignoblement livré les siens, que c'était lui, le responsable des morts et des blessés. Des prisonniers aussi, dont plusieurs l'avaient regardé avec un vif dédain quand il avait accompagné la délégation chargée de faire identifier l'arme de Montgomery.

Le beau visage d'Hélène le hantait. Jamais il ne pourrait espérer étreindre cette femme dans ses bras. Il l'avait bassement trahie. Elle ne le lui pardonnerait jamais. Sa vie n'avait plus d'horizon. Il s'était bien vengé, mais il était habité maintenant par une détresse abyssale. Non seulement il avait livré à l'ennemi la femme qu'il aimait et tous ses camarades, mais il les avait privés de leur rêve et de tout ce qui donnait un sens à leur vie.

Était-elle seulement encore vivante, cette belle qu'il désirait depuis toujours ? Simeon et Clément avaient-ils survécu ? Ni l'un ni l'autre n'était parmi les prisonniers qu'on avait enfermés entre les murs du Séminaire. Il en avait fait le tour. Il avait parcouru aussi le couvent des Récollets. Plus de quatre cents captifs croupissaient dans les salles et les corridors du collège des prêtres à cause de son geste. Quelques hommes lui avaient crié leur dégoût en découvrant le sort enviable que les Tuniques rouges lui avaient réservé au lendemain de la bataille.

Dans la grande salle de la caserne, une fille jeune et belle, particulièrement ivre, s'arracha aux mains d'un obusier et vint s'asseoir sur les genoux de Laurent. Elle dégagea sa poitrine de son chemisier en déclenchant l'hilarité générale et les sifflements :

— Les mamelles de la victoire ! Pour toi, mon joli, c'est gratuit, déclara-t-elle avec un rire gras. Tes amis anglais te les offrent pour services rendus.

Laurent ne répondit pas. Il l'écarta violemment, sous la désapprobation générale. Cette vulgaire prostituée n'avait rien de la beauté parfaite de la femme qu'il avait aimée toute sa vie. S'il avait trahi les siens, ce n'était pas pour les seins d'une telle putain. C'était pour se venger d'une déesse si envoûtante qu'elle l'avait conduit aux pires dérapages. Laurent avait beaucoup bu. Il trébucha en prenant la direction de la cave, échappant aux reproches de la femme facile et aux huées des militaires soûls.

En quelques secondes, il trouva ce qu'il cherchait. Il avait des larmes plein les yeux en passant la corde élimée dans l'anneau de métal qui servait à soulever les barriques de poudre entassées dans la pièce. Son âme était si douloureuse qu'il ne souhaitait qu'une chose : qu'elle se tût. Il fit un nœud coulant du mieux qu'il put. Quand il le passa autour de son cou, il sentit un désespoir infini lui envahir le cœur. Puis plus rien. Il n'avait même pas peur de ce qu'il allait faire. Il avait juste envie d'en finir avec une vie qu'il estimait foncièrement injuste.

Il n'avait connu que le rejet tout le long de sa triste existence. Il savait maintenant qu'il avait tout gâché, irrémédiablement. Il ne pourrait plus désormais revenir en arrière et espérer qu'Hélène lui pardonne son crime. Sa conduite était inexcusable. C'était son propre rêve qu'il avait détruit par sa trahison. Il ne pouvait même plus supporter le souvenir de ce corps de femme si beau, souvenir présent dans chaque pore de sa peau.

Blême, il avala une dernière gorgée d'air, ferma les paupières puis repoussa vivement du pied le baril de poudre. Effrayé, il sentit le nœud se resserrer. Il tournoya pendant quelques secondes, les pieds dans le vide, agités de spasmes. Les yeux exorbités et remplis de larmes, il vit venir la nuit comme une délivrance. Puis la corde céda. Il tomba lourdement sur le sol en pierre. Il était vraiment le plus grand raté du monde, même pas capable de réussir sa sortie.

CHAPITRE 10

Le même jour. Québec, hors les murs.

Dans les corridors impeccables de l'hôpital général, astiqués par les couventines qui apportaient leur aide aux sœurs, il y avait un va-et-vient incessant. Des gémissements montaient de partout. L'établissement débordait, et de nombreux blessés avaient été installés dans chaque recoin, faute de chambres suffisantes. Une vieille ursuline, venue prêter assistance aux dames hospitalières, avait placé Simeon dans la section des blessés graves. Depuis la veille, derrière le drap blanc qui servait d'isoloir, Hélène tenait la main du Bostonnais, qui ne respirait plus que par intermittence. Son agonie était longue et pénible.

Depuis l'arrivée des Américains dans la région de Québec, l'hôpital était devenu un lieu d'hébergement forcé, au service de l'armée yankee. Sœur Marie-Catherine de Saint-Alexis avait réussi à garder intacte la partie du couvent réservée aux religieuses et aux pensionnaires, mais le reste du bâtiment avait été réquisitionné par les soldats d'Arnold. Les sœurs auraient préféré maintenir leur statut neutre : offrir leurs soins aux victimes des deux camps. Mais l'arrivée de nombreux blessés, la veille, avait fait déborder les divers locaux encore disponibles. L'endroit rappelait à Hélène des tas de souvenirs. D'abord son père, qu'elle avait accompagné si souvent en ce lieu. Puis sa période de formation comme infirmière et sage-femme.

Elle vivait des émotions intenses. La mort était en train de lui prendre un homme qu'elle avait beaucoup aimé, malgré ses infidélités. Que pouvait-elle lui reprocher, après tout ? Il ne lui avait jamais promis d'amour éternel. C'était un artiste, un créateur qui exigeait que la passion soit libre et toujours renaissante. Un bohème absolu.

Elle n'avait pas choisi Simeon parce que, tout au fond d'elle-même, l'idée de le partager avec une autre femme lui était totalement insupportable. Et surtout parce que le modèle du couple qu'elle aurait formé avec lui ne correspondait en rien à celui qu'elle avait fait sien, celui que son père et sa mère avaient établi bien avant elle : une relation engagée qui fonde la possibilité de créer une famille.

Hélène l'observa longtemps respirer péniblement. L'intervalle entre ses respirations devenait de plus en plus inquiétant, mais il la regardait les yeux pleins de tendresse et de supplications. Elle eut l'impression qu'il lui demandait pardon de l'avoir déçue. Ses pupilles tristes, d'où la vie se retirait, lui exprimaient le regret de ne pas lui avoir promis ce qu'elle aurait voulu entendre, le regret aussi de partir sans avoir su lui procurer son rêve de liberté.

Elle le regarda s'éloigner jusqu'à la fin, des larmes sur les joues. Chaque inspiration, comme celle d'un noyé remontant à la surface de l'eau, la fit souffrir. Elle avait tant aimé cet homme de talent, aux grandes mains si habiles, au corps musclé que jadis l'amour enfiévrait sous ses caresses. Elle avait si souvent pris plaisir à être entre ces bras forts ! La vie désertait le corps de ce magnifique amoureux qui l'avait tant de fois comblée.

Elle pleurait surtout sur l'homme qui terminait sa route en ce monde sans avoir connu le grand matin de la victoire. Son père aussi était parti sans voir se réaliser son rêve. Avoir tant cherché la victoire pour mourir privé de la seule chose qui donnait un sens à sa vie était pour elle la blessure la plus vive. Simeon délira un moment encore en prononçant son nom.

Quand il rendit son dernier souffle, Hélène déposa un baiser d'une grande tendresse sur son front, puis remonta le drap blanc sur son visage. Elle éprouvait une douleur infinie de le voir ainsi, dans la rigidité de la mort. Avec lui, c'était une partie de son passé qui s'enfonçait dans le néant, des lambeaux de son être qu'il emportait en mourant. Elle se leva et marcha comme un automate dans les longs corridors de l'hôpital et n'entendit même pas Senter quand il réclama sa présence. Elle était complètement ailleurs, absente, coupée de la réalité.

En un réflexe de survie, elle tourna ses pensées vers Clément. Peut-être n'avait-elle pas encore tout perdu ? Mais, depuis la veille, elle était sans nouvelles de lui. Était-il prisonnier, mort lui aussi ? La dernière chose dont elle se souvenait, c'était de l'avoir vu fouetter les percherons du traîneau d'infirmerie rempli de blessés. Puis il était reparti se battre. Était-il tombé dans la rue du Sault-au-Matelot ? Avait-il été capturé par les hommes de Carleton, avec tous les autres ? Ne pas savoir l'affolait. Un profond désespoir la visita. Elle avançait, mais un abîme de plus en plus noir s'ouvrait à chacun de ses pas. Elle marchait, mais cela ne semblait la mener nulle part.

Comme une somnambule, elle parcourut tous les étages de l'hôpital général, systématiquement, en soulevant les rideaux qui assuraient un minimum d'intimité aux patients. Partout, des soldats grimaçaient de douleur. Que de morts et de blessés avait coûtés le grand rêve de chasser les Britanniques hors de l'Amérique ! Elle aperçut Arnold, à qui deux religieuses refaisaient un pansement. Sa jambe avait été levée avec un palan à l'aide d'un crochet fixé au plafond. En voyant sa mine déconfite et son regard désespéré, Hélène continua son chemin sans lui adresser la parole. Clément n'était pas dans cet établissement, elle en était maintenant certaine : elle en avait fait le tour, visité les moindres salles.

Son instinct la conduisit dehors, dans le froid et la neige accumulée lors de la tempête de la veille. Elle avait surtout un immense besoin d'air pur. Il lui fallait respirer, trouver un second souffle. Le paysage immaculé, la vue de la rivière Saint-Charles et la beauté des terres de l'hôpital calmèrent un peu son anxiété. Le charme des lieux agit sur elle malgré toutes les misères et les souffrances qu'ils évoquaient. Elle se rappela qu'elle avait passé de bons moments en compagnie des novices et des hospitalières en cet endroit idyllique, considéré par les citadins comme le plus champêtre et le plus salubre de la banlieue. Les gens venaient s'y promener en grand nombre durant la belle saison. Là, dans la blancheur éblouissante de la couverture de neige, qui eût pu imaginer les combats sanglants de la veille ? Partout, la rafale avait enseveli, dans un écrin laiteux et ouaté, les bocages et les jardins qui entouraient l'édifice.

Il fallait qu'Hélène sache ce qui était advenu de Clément, qu'elle le retrouve mort ou vif. Quelqu'un devait l'avoir vu, être au courant de ce qu'il était devenu. Elle s'informa auprès d'un homme de garde quant aux autres lieux qui pouvaient abriter des soldats. On lui indiqua les bâtiments de ferme, légèrement en retrait de l'hôpital, ainsi que la minoterie. Elle trouverait peut-être là ce qu'elle cherchait.

Elle s'approcha du vieux moulin à vent, en pierres des champs, réparé par le maçon Jean Maillou quelques années auparavant. Cette meunerie, fraîchement reconstruite, faisait la fierté des sœurs. Il était parfaitement rond et coiffé d'un petit toit pointu des plus charmants. Une girouette de cuivre en surmontait la cime. Par la porte légèrement entrouverte, des voix d'hommes parvinrent à ses oreilles. Poussée par sa curiosité, elle fit grincer les gonds et entra.

D'abord, elle ne vit rien : la noirceur, à l'intérieur, était presque totale. L'unique fenêtre, pas plus grande qu'une meur-trière, était située au deuxième étage. Seule une mauvaise lampe à huile, au mur, luttait contre la pénombre. Le passage de la clarté extérieure éblouissante à cette obscurité quasi complète l'empê-chait de bien reconnaître des visages. Peu à peu, elle commença à distinguer plusieurs soldats couchés à même la dalle de béton ou adossés aux parois arrondies du moulin. Quelques figures lui semblèrent familières. La plupart des hommes étaient prostrés, tristes. Certains étaient blessés et attendaient patiemment leur tour pour recevoir des soins. Puis elle vit un tricorne posé sur une poutre à deux pas de la grosse meule de pierre. Son pouls s'accéléra. Juste à côté, quelqu'un dormait sur le ventre, couché sur des sacs de farine. Elle cria :

— Clément, c'est toi ?

Il se redressa, étonné, et tourna un regard fatigué vers elle. Quand il la vit, il se leva et la reçut dans ses bras, se demandant s'il pouvait se permettre encore de l'enlacer. La vigueur de l'étreinte d'Hélène lui confirma qu'il en avait le droit. Ils restèrent ainsi blottis l'un contre l'autre, en silence. Les mots étaient de trop. Ils se contentèrent de sentir leurs deux corps, chauds, vivants. Hélène pleurait de joie autant que de détresse. Elle était heureuse de retrouver son Clément bien en vie. C'était tout ce qui comptait. Elle avait eu si peur de l'avoir perdu, lui aussi. C'était une immense consolation d'être près de lui en ce lendemain de défaite douloureuse.

— Tu dois m'écouter, Clément. Les choses ne sont pas ce que tu crois, lui dit-elle.

Il scruta ses grands yeux aux reflets d'argent liquide en se demandant de quoi elle parlait. Certainement pas de l'issue des combats de la veille ! Tous savaient que l'attaque des Américains et des rebelles avait échoué. Il n'était pas question non plus du sort de Simeon. Clément se doutait bien qu'il était mort ; on survit rarement à un coup de baïonnette quand il vous traverse de part en part, à la hauteur du cœur. Hélène voulait s'entretenir d'eux, de leurs rapports amoureux, difficiles et compliqués.

— Viens, lui dit-il en l'entraînant dans le petit escalier conduisant à l'étage supérieur du moulin. Nous serons plus tranquilles pour parler là-haut.

Il ne faisait guère plus chaud dans le grenier de la tour, où le mécanisme de la minoterie était relié aux ailes extérieures par l'arbre moteur et son rouet de bois. Le peu de chaleur dégagé par la présence des soldats au rez-de-chaussée, où se trouvait la grosse meule, suffisait à peine à contrer l'air frais et humide du lieu. Clément déplaça quelques sacs de grains et invita Hélène à s'asseoir près de lui, à l'abri des regards. Il tira sur leurs épaules une lourde toile pour les réchauffer.

Ce simple geste remplit Hélène de reconnaissance. Blottis l'un contre l'autre, enveloppés dans une même bâche aux odeurs de froment, ils eurent l'impression qu'ils étaient de nouveau ensemble et qu'ils revivaient une scène inoubliable : celle de leur premier instant d'intimité dans la cache, à Neuville. Hélène aurait ronronné comme un chat rien qu'à cette évocation.

— Parle, dit Clément.

— Simeon est mort.

— Je m'en doutais, répondit-il. J'en suis peiné pour toi. C'est tout ce que tu voulais m'apprendre ? Que voulais-tu dire par « les choses ne sont pas ce que tu crois » ?

— Ça fait presque un mois que j'ai mis fin à ma relation avec Simeon. Tu ne m'as jamais donné l'occasion de te le dire. Depuis que tu es parti recruter des hommes sur la côte de Beaupré, tu ne m'as laissé aucune chance de te parler. Tu me fuyais comme la peste.

— Tu ne peux pas m'en vouloir. J'évitais de revivre une peine qui m'est insupportable, dit-il.

— Tu n'as aucune raison de souffrir. C'est toi que j'aime, Clément. C'est toi que j'ai choisi. Simeon n'a été pour moi qu'une aventure dont tu étais à l'origine, après tout. Si tu n'avais pas épousé Marie-Beuve, jamais je ne serais partie à Boston et jamais je n'aurais eu besoin d'un autre homme que toi.

— Mais tu l'as aimé, au point de ne plus savoir si tu m'aimais encore !

— Je mentirais si je te disais que je ne l'ai pas aimé. Je suis un livre ouvert, Clément. Je ne connais pas le mensonge. Je suis fidèle. Ceux que j'ai aimés une fois, je les porte à jamais au fond de moi. Je n'oublierai jamais Simeon. Mais toi, tu es mon premier amour, Clément. Depuis le début, je me suis donnée à toi. Sais-tu ce que cela signifie ? Je t'appartiens, Clément.

— Maintenant que Simeon est mort…, dit-il en laissant sa phrase inachevée.

— Je sais ce que tu penses ! Tu crois que c'est plus facile pour moi de te choisir maintenant qu'il est décédé ? Simeon était déjà mort pour moi. Je n'étais qu'une aventure parmi d'autres pour lui. Ça m'a pris du temps à le découvrir. J'étais aveugle. J'avais un tel vide à remplir, un trou que tu m'avais creusé dans le cœur. Mais Laurent Descôteaux m'a ouvert les yeux par jalousie en me montrant ses lettres et ses dessins.

Elle se tourna vers lui et posa ses lèvres sur les siennes.

— Je t'aime, Clément… et… je n'ai jamais eu autant besoin de toi qu'aujourd'hui. Tu dois me croire, je t'en supplie.

— Je t'aime aussi, Hélène. Je n'arriverai jamais à effacer Simeon de ton souvenir. Ça, je le sais. Mais je t'aime assez pour te croire.

Hélène n'en demandait pas plus. Elle l'embrassa avec fougue. Surpris de la passion de cette étreinte, impensable à peine quelques minutes auparavant, il répondit en laissant courir partout ses mains sur elle. La bâche, aux fortes odeurs de grains, glissa de leurs épaules, mais déjà la chaleur de leurs corps montait et les protégeait du froid. Ils avaient besoin tous les deux d'évacuer la peur et cette grande douleur de la veille. Ils avaient surtout l'envie pressante d'oublier l'échec du rêve de toute une vie.

Clément défit le pantalon de peau d'Hélène et délaça son chemisier. Ses formes jaillirent. Il y laissa courir ses doigts tremblants et sa bouche affolée. Elle délia à son tour sa ceinture et la dégagea avec empressement. Ils s'allongèrent sur les sacs de blé. Alors qu'elle lui enfonçait violemment les ongles dans le dos, il s'empara avec vigueur de ses hanches et la pénétra. Il y avait dans leurs caresses des relents de combat ; le conflit armé, pour eux, venait de basculer dans les forces vives de l'amour tout en en conservant les accents déchaînés. Ils s'aimèrent comme des battants, avec des âmes de guerriers, des cœurs de rebelles. Plus forte que tout, éternelle et victorieuse, la tendresse effaça de ses vagues puissantes les blessures laissées par tous les conflits du monde. Ils éclatèrent ensemble, lui dans un jet d'étoiles qui lui vidait les reins, elle dans un cri de plaisir annonçant à l'univers le feu allumé dans son ventre et qui courait tout le long de son échine. Son expression de jouissance jaillit bien malgré elle, et sa voix extasiée résonna sur les murs de pierre du vieux moulin.

Des esclaffements montèrent alors de l'étage inférieur. Les soldats avaient eu droit à une scène érotique gratuite et s'en amusaient sans aucune gêne. Hélène ne put s'empêcher de pouffer de rire à son tour, en rougissant et en posant la main sur sa bouche. Clément, affalé sur le dos à côté d'elle, sourit lui aussi, les yeux fixés sur la lanterne du moulin. Il tourna la tête et vint l'appuyer contre la sienne.

— Je me fiche complètement qu'ils aient tout entendu. Je voudrais en ce moment que le monde entier sache à quel point je t'aime, dit-il.

Il contempla un instant les yeux gris qu'il appréciait tant, les força d'un baiser à se fermer et embrassa ses paupières avec tendresse.

— Je t'aime aussi, Clément Gosselin. Heureusement que tu es de retour dans ma vie ! Tu me rappelles toute la beauté et la bonté du monde… Je les avais oubliées.

Les éclats de voix qui montaient du rez-de-chaussée firent du bien à chacun ; ils témoignaient de la victoire de l'existence sur la détresse et le malheur. La vie était plus forte que toutes les peines, que toutes les misères apportées par les Britanniques en terre d'Amérique. L'amour, encore une fois, venait de renaître de ses cendres. Hélène fut étonnée du bonheur qui l'inonda, au beau milieu de cette malchance.

Elle put à nouveau tenter de se tourner vers la lumière qu'elle avait perdue de vue depuis un moment. Mais l'immense sentiment d'impuissance que la Nouvelle-France avait connu lors de la conquête britannique était désormais de retour, rappelé par l'échec cuisant de la veille. Un ciel d'orage, plein de mauvais présages, avait réinvesti les âmes et assombri l'horizon. Comme un écho lointain, Hélène entendit la voix de son père : « … jusqu'à mourir debout s'il le faut. » Elle referma son chemisier, rajusta son pantalon et prit la main de Clément dans la sienne.

— Lève-toi ! Nous avons encore beaucoup à faire, lui dit-elle. Je n'ai jamais eu autant besoin de toi pour retrouver le goût de vivre.

Se couvrant de leur manteau, ils affrontèrent au passage, sourire aux lèvres et rougeur au front, les regards complices des soldats, puis traversèrent le vaste espace, blanchi par la poudrerie, entre le moulin et l'hôpital. Ils se rendirent au chevet d'Arnold. Cet homme qui avait bravé les montagnes et les cours d'eau pour venir à pied depuis Boston jusqu'à Québec n'était plus que l'ombre de lui-même.

Le grand général qui avait surmonté toutes les difficultés pour pouvoir livrer combat à ses frères ennemis emmurés dans la citadelle de Québec avait davantage l'air d'un vieillard fatigué que d'un chef d'armée. La jambe immobilisée et l'expression triste, il semblait totalement découragé et honteux en voyant entrer ses visiteurs. Lui qui avait tant fouetté ses troupes et démontré une confiance inébranlable en la victoire de la liberté ressentait une profonde humiliation dans la défaite.

— J'aurais dû prévoir ce qui est arrivé, dit le général. Nous avons commis une grande erreur en lançant nos hommes *in extremis* dans de telles conditions de délabrement. Mais Montgomery insistait. De nombreux hommes sont morts à cause de notre manque de jugement. Des centaines d'autres sont prisonniers par notre faute. Comment avons-nous pu sous-estimer à ce point les forces de l'ennemi?

— Montgomery était plus responsable que vous de cette défaite. Il y a laissé sa vie. Estimez-vous chanceux d'être encore de ce monde, lança Clément.

— Ils avaient été prévenus de notre assaut! C'est certain. Il n'y a pas d'autre explication. Nous nous sommes battus courageusement, mais, de toute évidence, nous étions attendus, renchérit Hélène.

— Nous nous sommes trompés sur toute la ligne, reprit Arnold. Dès le départ, les miens avaient mal évalué les forces à vaincre. Nous étions persuadés qu'en attaquant par deux côtés, le lac Champlain et la rivière Chaudière, la victoire serait acquise avant la venue du froid. Comme des imbéciles, nous avons engagé nos hommes avec des contrats à court terme. Nous ne les avons même pas habillés pour le temps glacial qui sévit chez vous tant nous étions sûrs d'être rentrés à la maison à l'automne au plus tard. De plus, le Congrès ne nous a pas donné l'argent nécessaire pour payer nos fournisseurs et des soldes supplémentaires, croyant que l'affaire serait réglée rapidement. Quel mauvais calcul !

— Vous comptiez aussi sur les nôtres, mais beaucoup ont refusé de vous suivre, répliqua Hélène pour le décharger un peu de la culpabilité qu'il cherchait à mettre sur ses seules épaules.

— Si vous avez sous-estimé quelque chose, c'est bien le pouvoir de l'Église sur les âmes des habitants de chez nous, ajouta Clément. Ici, elle maintient les gens dans l'ignorance, les menace et leur fait peur. Vous comptiez sur nous et nous ne vous avons pas aidés. J'en éprouve personnellement beaucoup de gêne. J'ai pourtant tout fait pour convaincre et recruter les miens.

— Je crains qu'il nous faille tout abandonner et rentrer chez nous, dit tristement Arnold.

— Jamais ! rétorqua Hélène du tac au tac, sur un ton autoritaire qui la surprit elle-même.

La réponse avait jailli, viscérale et puissante. Une réaction exagérée, incontrôlable, comme la détente d'un arc tendu à l'extrême. Elle avait presque crié. Arnold et Clément tournèrent vers elle des regards médusés. Il y avait de la colère et beaucoup d'impatience dans sa réplique.

Hélène, la rebelle de Saint-Pierre-de-la-Rivière-du-Sud, eut l'impression d'avoir été possédée par la voix et l'âme de son père. Toute son enfance, toutes ses racines s'étaient exprimées dans ce refus qui venait de jaillir de sa bouche, presque à son insu. Ce « jamais » était comme habité par la voix des ancêtres hurlant : « Nous ne sommes pas morts pour rien ! » L'éternelle et ancienne cause de la liberté exigeait une fois de plus son dû. Hélène, sous les yeux ébahis de ses interlocuteurs, se sentit obligée de s'expliquer.

— Assez pleurniché ! Nous avons été défaits. D'accord. Maintenant, il faut tourner la page et regarder en avant. Tant que notre indépendance n'est pas acquise, nous devons continuer à nous battre pour elle ! Vous n'entendez donc pas la voix de tous ceux qui sont morts, hier et beaucoup plus loin dans le temps ? Ils crient à la vengeance, ils hurlent à pleins poumons que la liberté n'est pas un combat qu'on endosse pour laisser en plan à la moindre difficulté. Cessons de nous reprocher toutes sortes de choses. La seule honte véritable, notre unique blâme serait d'abandonner notre cause en nous soumettant. Nous devons à tous nos morts de persévérer. Jusqu'à la victoire.

En disant cela, elle avait surtout pensé à Simeon, qui venait de perdre la vie dans un combat dont il ne connaîtrait jamais l'issue. Un long moment de silence suivit la tirade enflammée d'Hélène. Clément et Arnold se regardèrent. Les propos de la rebelle déchaînée devant eux avaient provoqué un écho puissant au fond d'eux-mêmes. Ni l'un ni l'autre n'avait jamais reçu une telle leçon de courage. De la part d'une femme, surtout. Normalement, c'étaient eux qui motivaient les autres. Là, ils se faisaient servir un cours magistral de bravoure et de ténacité. Arnold, encore assommé par ce qu'il venait d'entendre, fut le premier à reprendre la parole.

— Elle a raison, bon Dieu ! Tous mes soldats morts ou prisonniers doivent être vengés. Nous n'avons pas le droit de nous lamenter. Nous devons nous ressaisir, nous relever les manches. Nous avons perdu beaucoup d'hommes, mais il nous en reste. Je ne les ai pas conduits jusqu'ici pour rien. Carleton a préféré se réfugier derrière les murs de la ville. Soit ! Nous n'avons qu'à poursuivre le siège en attendant des renforts que je vais appeler dès que possible.

— Demandez donc aux vôtres de mander du même coup des personnes crédibles en matière de religion et de droit pour m'aider à convertir mes concitoyens apeurés par l'Église, réclama Clément. Nous avons besoin de renfort militaire, mais surtout de secouer les croyances des gens d'ici, de leur indiquer où se trouve leur intérêt. Ce n'est pas normal qu'ils refusent de se battre pour se libérer du joug britannique. Il y a un travail de persuasion à faire auprès d'eux. La partie est loin d'être gagnée. Nous avons besoin d'arguments, de prêtres convaincants de chez vous pour convertir les nôtres à votre noble cause. Ils sont aussi importants que le nombre des fusils dans ce combat.

— J'enverrai une centaine de soldats dans Saint-Roch et tous les autres du côté des terres d'Abraham Martin, continua Arnold, excité. Nous devrons maintenir le siège jusqu'à l'arrivée des milliers d'Américains qu'on nous enverra, j'en suis sûr.

Benedict Arnold avait parlé dans un nouvel élan d'enthousiasme et en cherchant à se lever. Il en avait oublié que sa jambe était retenue en place par un système de cordages et de poulies. Il grimaça de douleur. Heureuse de voir que son discours avait fouetté les deux hommes, Hélène poussa plus loin sa détermination.

— Donnez-nous quelques hommes vaillants, dit-elle. Clément et moi, nous retournerons à la pointe Lévy, nous remettrons la zone de tir en action et reprendrons avec encore plus d'énergie le travail de recrutement. Les autorités maintiennent les nôtres dans la peur de se battre ; il va nous falloir nous résoudre à les effrayer, nous aussi. Il est temps de jouer plus dur avec tous ceux qui ont refusé jusqu'ici de nous accompagner dans la bataille.

— Elle a raison, enchaîna Clément. Nous avons été trop tolérants avec nos soumis et nos lâches. Ces gens obéissent à la terreur ! Alors d'accord. Nous allons leur servir la médecine qu'ils aiment. Nous ferons monter d'un cran la pression, nous aussi. Donnez-nous quelques soldats et je me charge du reste.

Arnold demanda à la sœur hospitalière de garde, que les voix fortes de l'échange verbal avaient alertée :

— Qu'on me lâche les jambes !

Il avait des missives à écrire, des ordres à communiquer. On lui apporta une paire de béquilles. Quand il se leva pour saluer Hélène et Clément, son sourire légendaire, capable de rehausser le courage des plus faibles, éclaira de nouveau son visage mal rasé.

CHAPITRE 11

3 janvier 1776. Côte sud du fleuve Saint-Laurent.

Le pont de glace sur le fleuve ne s'était pas encore formé en amont de Québec, là où le cours d'eau se rétrécissait. Il fallut arraisonner plusieurs embarcations, particulièrement résistantes, pour traverser la vingtaine de soldats qui accompagnaient Hélène et Clément. Les propriétaires de ces canots d'hiver, des autochtones, pagayaient à la poupe, pendant que quatre passagers, dans chacun des bateaux, s'affairaient à ramer.

C'était le seul moyen de transport disponible entre les deux rives, en face de Cap-Rouge, car l'hiver, jusque-là, avait apporté plus de journées humides et de tempêtes de neige que de grands froids polaires, capables, eux, de figer le fleuve.

Le soleil, qu'on n'avait pas vu depuis des jours, s'était finalement extirpé des nuages, et la traversée se déroula dans les tons rose et or d'un déclin de jour remarquable. On dut franchir les premiers gros glaciers soulevés le long de la grève par le va-et-vient des marées. La tâche était exigeante. Avant d'attaquer la traversée, le chef des Indiens prit la parole.

— Vous devez garder toujours une jambe dans l'embarcation, expliqua-t-il. Puis on pousse sur le sol mouvant des glaces qui flottent à la dérive.

Chacun des passagers écouta religieusement les directives. Hélène traduisit pour les Américains.

— Quand le canot touche l'eau du fleuve, on saute à l'intérieur en rentrant les deux jambes dans le rabaska, enchaîna l'instructeur.

Les trois autochtones craignaient surtout le manque d'expérience des soldats américains qui faisaient partie du convoi. Mais tout se passa bien. Hélène réussit la manœuvre au premier essai. Elle était toute souriante, heureuse de repartager une vie dangereuse avec Clément. À mi-chemin, le paysage apparut dans toute sa splendeur. Les rayons orangés du coucher de soleil teintaient d'une lumière chaude les banquises en mouvement ainsi que la falaise de Saint-Nicolas.

De loin, la citadelle, éclairée à contre-jour, se découpait en ombres chinoises. Le spectacle des murailles dans la brunante était grandiose. Cette ville que les Britanniques leur avaient volée était magnifique sur son promontoire naturel.

— Je te le jure, Hélène, confia Clément, nous reviendrons bientôt avec de nouvelles forces et nous exigerons qu'on nous rende cette cité qui nous appartient, à nous et à tous nos descendants !

— Elle a été bâtie par mon père et le tien, renchérit Hélène. Nous nous devons de la reprendre aux Anglais en leur mémoire et au prix de tous les efforts qu'elle leur a coûtés.

Quand ils atteignirent la rive sud, la ville de Champlain baignait déjà dans l'ocre lumineux de la fin du jour. L'accostage fut laborieux. De gros agglomérats s'étaient formés aux abords de la rivière Chaudière où le courant de la marée descendante avait fait dériver les canots. Lorsqu'ils mirent enfin pied à terre, à l'endroit même d'où l'expédition était partie la nuit de la traversée des troupes américaines, plus d'un mois auparavant, ils durent escalader péniblement la falaise.

Pendant ce temps, les autochtones s'affairèrent à remiser les embarcations dans les grottes naturelles. Tous gravirent la côte abrupte, sans raquettes, dans les dernières lueurs du jour. Une tâche éreintante. À plusieurs reprises, Hélène s'enfonça dans la neige épaisse, et Clément, feignant de vouloir l'aider, roula avec elle au lieu de la délivrer. Leurs éclats de rire les emplirent d'aise. Ils vivaient à nouveau un moment heureux, une sorte de parenthèse dans le malheur.

Le soir était tombé quand ils parvinrent au moulin de Caldwell, où ils furent accueillis par Halstead, l'homme à tout faire. C'est à cet endroit que l'armée des rebelles avait tenu son dernier conseil de guerre avant l'attaque de Québec. En poussant la grosse porte de bois de la meunerie, ils furent agréablement surpris de sentir une douce chaleur leur caresser le visage. Ils s'attendaient à coucher dans l'air humide et froid du bâtiment de pierre. Mais Halstead avait eu la bonne idée de faire passer une cheminée de tôle vers l'extérieur par l'unique petite fenêtre du moulin tout neuf. Un feu bienvenu réchauffait la place grâce à une truie de fonte installée temporairement. L'employé de Caldwell accueillit très cordialement le groupe de militaires à la lueur d'une lampe à huile qui donnait des allures de chaumière à la minoterie. La plupart vinrent s'asseoir sur la grosse meule ronde et couverte de stries pour reprendre leur souffle et accepter une rasade de bagosse offerte par le meunier visiblement content d'avoir de la visite.

Celui-ci voulait tout savoir. Il exigea des détails plus précis des combats. Clément lui fit un rapport des échanges en omettant les moments les plus tragiques. Il n'était pas venu pour détruire davantage le moral des gens. Le meunier avait de son côté appris qu'à Montréal, à la suite de l'échec de Québec, David Wooster avait été promu commandant. L'Américain avait énormément durci sa position face aux royalistes. Il en avait fait arrêter puis incarcérer plusieurs au fort Chambly. Le problème venait surtout du manque d'argent des Yankees, qui s'y prenaient fort mal pour obtenir les denrées dont ils avaient besoin. Ils se les appropriaient sans les payer aux marchands de la ville.

— C'est la fin pour les Yankees. Croyez-moi, mes amis, conclut le meunier. Déjà à la pointe Lévy, et partout dans les villages voisins, la nouvelle de la défaite des Américains a circulé. En apprenant l'issue de la bataille, les quelques miliciens qui gardaient le poste de la pointe Lévy ont décidé de rentrer chez eux. Dans l'esprit des gens de la côte sud, les Yankees ont été battus. Il faut passer à autre chose.

— Nous avons perdu une bataille, mais la rébellion continue ! protesta Clément. Arnold maintient le siège de la citadelle. Il a placé les hommes qu'il lui reste en deux endroits stratégiques : Saint-Roch et les champs d'Abraham Martin. Il enverra des messagers pour rendre compte au Congrès de l'état de la situation et obtenir des renforts rapidement. Nous sommes chargés de recruter de ce côté-ci du fleuve et de réorganiser le poste de la pointe Lévy. Nous retournerons chercher des canons quand le fleuve aura gelé.

— Je pense que vous rêvez, mes amis, déclara Halstead. De ce côté-ci du fleuve, en tout cas, les gens sont rendus ailleurs. Les miliciens qui vous appuyaient sont rentrés dans leurs chaumières et se préparent aux travaux du printemps qui vient. Je vis seul ici depuis des semaines.

— Au cours des prochains jours, nous allons parcourir toute la région. Avec plus de fermeté que jamais. La victoire est encore possible, affirma Hélène. Mais, pour cela, nous aurons besoin de tout le monde. Cette fois, les neutres auront affaire à se mettre debout.

— Bonne chance ! Vous le constaterez vous-mêmes. Une grosse côte à remonter vous attend, rétorqua leur hôte, sceptique. Dans les villages, les sentiments sont très partagés quant à l'appui à donner aux Américains dans l'avenir. Plusieurs familles sont divisées, et une grande animosité provoque souvent de violentes disputes. Les pères et les enfants s'affrontent comme ce n'est pas permis.

— Nous allons négocier plus dur si besoin est, s'empressa de dire Pierre Ayotte, qui refusait de céder au découragement. Moses Hazen a été envoyé à Philadelphie, entre autres pour lever une armée de mille hommes afin de remplacer les malades, les morts, les blessés et les prisonniers. Il faut s'encourager. J'ai bien confiance que nous réussirons à en trouver autant dans la Beauce et les villages riverains.

Le meunier, toujours sceptique, mit une soupe à cuire dans une marmite de fonte qu'il déposa sur le petit poêle de fortune.

Le feu était si fort que le liquide commença à bouillir rapidement. Halstead y jeta de la farine grillée, qu'il avait à profusion, avec des morceaux de lard salé qu'il tira d'un pot de grès. Puis il reprit :

— On raconte que Wooster, à Montréal, a commis un tas de bévues. Par exemple, il a fermé les « maisons de messes » le jour de Noël. Il n'a réussi qu'à se mettre à dos les gens, même ses partisans. J'espère que vous ne jouerez pas aussi dur avec la population d'ici. Ce n'est pas de cette façon que vous gagnerez son appui.

Quand ils se furent régalés du mélange frugal, chacun alla dormir au deuxième étage. Clément entraîna Hélène à l'étage supérieur, comme il l'avait fait au moulin de l'hôpital général. Ils se blottirent l'un contre l'autre sous le mécanisme de la minoterie. Ils n'avaient plus de forces pour l'amour après les efforts fournis à la traversée. Hélène était tout simplement heureuse de sentir le corps de Clément contre le sien et de partager une fois de plus avec lui ce nouveau défi qui l'angoissait en secret. Elle ne s'endormit qu'après avoir fait taire les craintes de Halstead, qui la taraudaient.

Le lendemain matin, à l'aube, après avoir bu un café de céréales, sans lait ni sucre, on discuta longuement dans le but d'établir une stratégie. Ayotte et la moitié des soldats d'Arnold se dirigeraient vers la Beauce, pendant que Clément et les autres iraient parcourir la côte sud. Il fallait trouver des partisans, des armes et des vivres, en échange de promesses et de monnaie de papier.

Hélène voulait réunir toutes les femmes de la société secrète des Insoumis. Une idée avait germé dans son esprit au réveil. Cela intrigua Clément, qui jugeait prioritaire de reprendre contact avec Germain Dionne, son mécène.

— Ça va me donner l'occasion de revoir mes enfants, dit-il. Ils doivent avoir bien grandi depuis la dernière fois !

Hélène tiqua ; elle n'aimait pas du tout l'idée que Clément puisse revoir Marie-Beuve. Finalement, on convint que le moulin de la pointe Lévy serait le point de ralliement pour les nouvelles recrues et le ravitaillement.

Le convoi se mit en marche avec l'intention de coucher le soir même à Berthier-sur-Mer. Les cinq soldats américains, qui chaussaient des raquettes pour la première fois de leur vie, eurent rapidement les cuisses endolories par l'écartement forcé des jambes. Vers midi, n'en pouvant plus, ils demandèrent à leurs guides de faire halte.

Clément alla frapper à la porte d'une chaumière de Saint-Michel-de-la-Durantaye pour quêter une soupe et un peu de chaleur pour son groupe. L'accueil de la famille Lacasse fut plutôt froid. De toute évidence, les gens de la maison n'étaient pas heureux de cette visite impromptue. Leurs expressions fermées disaient en clair que le retour des Yankees n'annonçait rien de bon dans leur vie. On sentait la peur et l'exaspération dans les regards fuyants et le manque d'enthousiasme de leur hospitalité.

— Mangez et allez-vous-en, dit le père Lacasse.

— Tu es royaliste ? demanda Hélène, d'un air dégoûté.

Le propriétaire de la demeure avait été étonné de découvrir une femme vêtue en homme parmi les militaires qui s'étaient imposés chez lui. Surpris surtout de constater que c'était elle qui prenait la parole la première, au nom de tous, il la fixa longtemps avant de répondre :

— Non ! Mais je sais que vous avez perdu votre guerre, vous autres, les rebelles. Je n'ai pas envie de voir les soldats de Carleton venir me faire des histoires parce que je vous aurai aidés à fuir. Partez d'ici le plus vite possible.

Hélène et les autres voyageurs avalèrent leur soupe en silence, échangeant des regards contrariés et inquiets. Hélène sentait l'anxiété s'emparer d'elle. Malgré la défaite de Québec, elle avait réussi, en puisant dans ses réserves de courage, à garder espoir jusque-là. Elle, qui avait donné les seize dernières années de sa vie à la cause noble de la libération des siens, voyait tout à coup une nouvelle brèche s'ouvrir sous ses pieds, un obstacle imprévu et de taille. On avait perdu la foi. La défaite avait fait mal à la cause de la rébellion.

Ce Lacasse était-il un cas d'espèce ou les gens de la région seraient-ils tous de son avis et de son humeur ? Les rebelles avaient connu la déroute le 31 décembre au petit matin ? Ils étaient donc des perdants. Elle ressentit soudain le poids de la lassitude. Qu'il était dur de mettre debout ceux qui avaient intégré la soumission au plus profond de leurs cœurs ! Elle voyait de plus en plus clairement que transformer l'ordre social de l'Amérique française catholique allait être aussi important que d'en chasser les Britanniques. Elle repoussa ses pensées noires et refusa d'interpréter l'attitude rébarbative de ce paysan comme un mauvais présage. Elle se leva la première et invita chacun à se remettre en marche.

— Attends, dit Clément.

Puis, devant l'air interloqué des cinq militaires américains qui avaient obtempéré sur-le-champ, il s'adressa à Lacasse :

— As-tu une arme ?

— J'ai un fusil de chasse, répondit le propriétaire de la maison après avoir hésité. Pourquoi ?

— Donne-le-moi, lui intima Clément.

— Jamais de la vie ! C'est pour me protéger et faire manger ma famille, protesta l'autre avec véhémence.

— Si tu viens te battre avec nous, tu le retrouveras. En attendant, les Yankees et les braves qui combattent avec eux en ont besoin pour une cause plus noble que la survie des tièdes et des mous de ton espèce.

Hélène était mal à l'aise devant ce comportement nouveau et agressif de son amant. Le ton du recrutement venait de monter d'un cran. Elle se sentit gênée quand Lacasse laissa tomber son arme avec fracas sur la table de pin. La rage et l'humiliation se lisaient sur le visage du paysan. L'angoisse diffuse qui avait surgi en elle la veille, quand le meunier Halstead avait évoqué une « côte à remonter », revint la visiter. Elle éprouvait une tristesse inquiétante en claquant la porte de la chaumière pour suivre le convoi dans la neige.

Le ciel, si bellement ensoleillé le jour d'avant, avait retrouvé des nuages ; l'azur clair en avait été chassé. Cela annonçait la tempête. Les cinq soldats américains emboîtèrent le pas à Clément, résolus à atteindre la destination prévue avant la tombée de la nuit. Hélène ne fit qu'une halte brève à Saint-Vallier de Bellechasse pour saluer la veuve Gabourie et l'inviter à la rejoindre au cours des jours suivants. Elle la chargea d'envoyer la même invitation pressante à l'épouse d'Augustin Chabot dans le village de Saint-Pierre, sur l'île d'Orléans.

Sa démarche étonna Clément de nouveau. Puis il finit par s'expliquer le comportement d'Hélène par sa grande amitié pour cette femme forte, la propriétaire de sa cache du bord de l'eau. Qu'avait donc en tête sa maîtresse à vouloir réunir ainsi toutes ses compagnes du groupe des Insoumis ?

Ils parvinrent à l'ancienne remise à bateaux à la fin du jour, et tous furent soulagés quand Hélène jeta les premières bûches dans le vieux poêle de fonte. Ce soir-là, on mangea une fricassée apprêtée avec des pommes de terre et des morceaux de viande blanche achetés au magasin général de Berthier-sur-Mer avec leurs derniers sous. Un gros pain frais du jour, en forme de fesses, complétait le festin. C'était leur meilleur repas depuis longtemps.

On planifia la suite des choses tout en se régalant. Dès l'aube, Hélène irait rencontrer les Indiens pour obtenir des chevaux. Elle trouverait des carrioles au village. Clément, lui, se rendrait à La Pocatière à la première occasion pour reprendre contact avec Germain Dionne. À cette perspective, Hélène fut une fois de plus contrariée ; cela ne lui plaisait guère de voir son homme retourner en ce lieu où il avait toujours femme et enfants. Elle proposa de l'accompagner, prétextant qu'elle devait à tout prix rendre visite, là-bas, à ses frères Pierre et Jules pour les convaincre de se joindre à l'armée des rebelles.

— D'abord, nous devrions tenir une vaste assemblée de recrutement, dans nos propres villages, ne crois-tu pas ? suggéra-t-elle.

— Tu as raison ! Dès demain, nous commencerons à placarder des invitations à la porte de l'église et du magasin général,
acquiesça Clément.

Quand les soldats épuisés s'endormirent autour du feu,
Hélène et Clément se blottirent l'un contre l'autre. Elle avait des
questions plein la tête et mit du temps à trouver le repos. L'inquiétude qui l'habitait depuis son arrivée sur la côte sud s'amplifiait
lentement et devenait, sans qu'elle sache pourquoi, un obscur
pressentiment de catastrophe.

CHAPITRE 12

Février 1776. Saint-François-de-la-Rivière-du-Sud.

Dans la maison de Jean Morin, une bonne trentaine d'hommes, dont des soldats américains, étaient rassemblés. Et de nouveaux arrivants s'ajoutaient de minute en minute au groupe en pleine conversation. Malgré le froid vif, on avait dû laisser la porte de la maison ouverte sur la cuisine d'été pour pouvoir loger tout ce monde vêtu de laine du pays ou de lourds capots de chat. Le gros poêle de fonte, chargé au maximum, réchauffait à peine la place. Le corps principal de la résidence était en pièce sur pièce et bien calfeutré, mais la rallonge d'été était un simple bâti de planches sans isolation ni chauffage. L'endroit était glacial durant l'hiver, et on y entreposait les coffres à viande.

Les invités, pour la plupart, gardèrent leurs manteaux. Les avis de recrutement, placardés sur les perrons d'église et les balcons des magasins généraux dans chaque village des alentours, avaient donné de bons résultats. Plusieurs étaient venus des rangs, plus par curiosité que par conviction. Dans la nouvelle Province de Québec, réduite à un étroit ruban de terre de chaque côté du fleuve, les soirées et les rencontres étaient toujours appréciées. Janvier et février étaient des mois longuets, et les réunions étaient bienvenues. Elles brisaient la monotonie des jours et libéraient les esprits de la prison du gel.

Quand il estima que les derniers retardataires étaient arrivés, Clément, flanqué des soldats américains, trouva l'angle d'où il pouvait être vu par un maximum de participants. Il monta sur une chaise et agita son tricorne pour attirer l'attention de tous. Le silence s'installa.

— Mes amis, commença-t-il, je vous ai réunis parce que nous avons besoin de vous. Contrairement à la rumeur qui court, la rébellion n'a pas été écrasée. Elle est plus vivante que jamais.

Les participants se regardèrent, sceptiques et étonnés.

— Avec qui comptes-tu faire ta guerre ? le questionna Joseph Dumas. On dit que la plupart des Américains ont été tués ou emprisonnés par Carleton la veille du jour de l'An.

— Je vais la gagner avec ton appui, répondit Clément, sans se laisser désarçonner. Et avec les milliers de soldats que le Congrès s'apprête à nous envoyer en renfort.

— Des renforts ? Comment veux-tu que des troupes de soutien arrivent avant la fin de l'hiver, sans routes et sans navigation ? protesta Louis Thibault, un habitant particulièrement lucide et pragmatique de Saint-François.

— En attendant qu'ils franchissent la distance, ce qui prendra un certain temps, comme tu le dis, Hazen a été chargé de lever cinq cents hommes dans la région de Montréal. Antill et Duggan vont tenter d'en recruter autant dans la Beauce. Quant à moi, je suis dépêché pour vous convaincre de vous joindre à nous et je suis persuadé que vous serez nombreux à le faire.

— Tes Américains, ils n'avaient même pas les armes et les vêtements qu'il faut pour se battre ici. Ce n'est pas sérieux, cette guerre des colonies du sud. Ils n'ont pas été fichus de faire plier les quelques centaines de soldats britanniques réfugiés dans la citadelle, lança Louis Fontaine de Saint-Pierre-de-la-Rivière-du-Sud. Comment penses-tu qu'ils vont réussir à renvoyer chez eux ces Habits rouges qui nous dament le pion depuis des années ?

— Si on avait accepté de se battre aux côtés des Bostonnais, reprit Dumas, où crois-tu qu'on serait aujourd'hui ? Morts, peut-être, ou prisonniers comme les autres ! Tes Américains, ce sont d'anciens Britanniques, eux aussi. Britanniques pour Britanniques, j'aime mieux respecter mon serment d'allégeance au roi et sauver mon âme en obéissant à Mgr Briand.

— Curot, Maisonbasse, Porlier ; tous nos curés nous le répètent depuis le début du conflit : c'est une erreur d'aider les antipapistes américains. Ils sont hypocrites ! Ils nous disent une chose et déclarent le contraire quand ils se parlent entre eux. Je préfère respecter la parole donnée, défendre les intérêts du roi qui vient de nous faire de très belles concessions autant pour notre langue et nos lois que pour notre sainte religion catholique. Plus besoin de prononcer le serment du Test[1] désormais. Nous pourrons participer à l'administration de la province sans renier nos croyances.

Celui qui venait de discourir était Michel Blais, coseigneur de Saint-Pierre-de-la-Rivière-du-Sud. Son alliance avec le curé du village était connue. C'était un homme de foi, et il avait une grande influence sur tous les paroissiens. Il avait brandi devant l'assemblée un journal imprimé où l'on parlait du *Quebec Act* en propos élogieux. Face à cet homme, Clément se sentit déstabilisé. Il ne s'attendait pas à de si nombreuses et si pertinentes protestations. Il découvrait à quel point le clergé et les seigneurs avaient été efficaces auprès des gens simples. La « côte à remonter », comme l'avait prévenu le meunier Halstead, allait être plus raide qu'il ne l'avait imaginé. Il chercha des arguments plus forts :

— Je vais vous apprendre quelque chose, mes amis ! Savez-vous que notre bon évêque, Mgr Briand, a accepté une pension du gouverneur l'année dernière ? Je ne serais pas surpris que plusieurs curés aient reçu également des dons afin de prêcher pour le roi. Entre vous et moi, vous ne trouvez pas étrange que tous ces hommes de Dieu soutiennent les Britanniques ? Que vient faire la religion dans ces questions de politique ? Je vais vous le dire, moi : ils veulent s'assurer une vie bien douillette.

— Mensonge, mes amis ! Cet homme vous ment ! cria Blais.

— La nouvelle loi de l'an dernier leur garantit la dîme, continua Clément. Elle l'augmente même. Elle promet aussi le

---

1. Le serment du Test obligeait les Canadiens à renier leur foi catholique pour pouvoir accéder aux postes administratifs.

droit du cens aux seigneurs. N'est-ce pas la vérité, monsieur Blais ? Ça doit vous plaire, non ? Qu'est-ce qui reste dans cet Acte de Québec pour le monde ordinaire, pour vos censitaires ?

Le coseigneur Blais était rouge de colère. Tous guettaient sa réplique. On savait qu'il était en procès depuis plusieurs années avec la veuve Couillard qui partageait la seigneurie avec lui. Elle voulait l'obliger à démolir son moulin banal. Il l'avait construit dans le but de prélever l'argent des censitaires de Saint-Pierre. C'était un vieil avare, un grippe-sou. Il avait profité du fait que la meunerie la plus proche était à Saint-Thomas de Montmagny et que les habitants préféraient fréquenter la sienne, évitant deux jours de déplacement. On le connaissait bien pour son appât du gain et son respect strict de la taxation seigneuriale.

Au moment où il s'apprêtait à répliquer à Clément, la porte de la maison s'ouvrit brusquement. Toutes les têtes se tournèrent. Quatre silhouettes féminines, souriantes et enjouées, envahirent les lieux avec des salutations et des rires tapageurs. On se serait cru dans le plus pur esprit des célébrations du Nouvel An.

La veuve Gabourie transportait un gros cruchon dans ses bras, comme un bébé. Elle le leva dans les airs avec enthousiasme pour annoncer à tous qu'elle allait offrir une tournée. L'épouse de Pierre Parent en avait un également. Des rires et des applaudissements fusèrent de partout. La femme d'Augustin Chabot, de l'île d'Orléans, en véritable boute-en-train, se mit à chanter :

— *C'est à boire, à boire et à boire, c'est à boire qu'il nous faut.*

Tout le groupe entonna l'air connu de la manière d'une chanson à répondre du temps des fêtes. Jean Morin apporta des gobelets. Hélène était la quatrième femme du petit groupe. Elle prit les manteaux de ses trois compagnes et les déposa sur la table où leur hôte venait de placer de nombreux verres.

Clément écarquilla les yeux : c'était la deuxième fois de sa vie qu'il voyait Hélène vêtue d'une robe. La première, il s'en souvenait clairement, c'était quand il l'avait aperçue dans la jupe noire de sa mère, à Québec, chez les hospitalières. Mais celle qu'elle portait en ce moment était écarlate. Hélène était magnifique et très aguichante dans cette tenue. D'un rouge flamboyant, son bustier faisait pigeonner sa poitrine comme si ses seins voulaient jaillir du décolleté. Le drapé qui enveloppait ses hanches moulait sa silhouette à la perfection. Les hommes louchaient sur sa beauté pendant qu'elle distribuait les premiers verres. Elle s'approcha de Clément, qui, malgré sa surprise, avait un air soucieux. Il lui dit à l'oreille :

— Tu arrives à point nommé. Ils sont coriaces et ne veulent rien savoir de mes propos. Ils ont tous des arguments différents pour ne pas s'enrôler.

— Laisse-nous faire, alors, lui intima-t-elle.

Les quatre femmes mirent les deux cruches d'alcool à circuler dans l'assistance et se réunirent dans le coin le mieux éclairé de la pièce commune. En se tenant par les épaules, elles se livrèrent à une prestation comme aux moments les plus forts des veillées de familles. Mme Chabot attaqua la seconde chanson, qui fut reprise par toute l'assemblée :

> *Sont les filles de La Rochelle*
> *Ont armé un bâtiment*
> *Pour aller faire la course*
> *Dedans les mers du Levant*
> *Ah ! La feuille s'envole, s'envole*
> *Ah ! La feuille s'envole au vent*

En chantant « la feuille s'envole », les quatre femmes se livrèrent à une chorégraphie grivoise en remontant leurs jupes jusqu'aux genoux. Hélène feignit même de relever les siennes un peu plus haut, laissant voir la peau de ses cuisses. Elle arbora une expression coquine qui déclencha le rire chez tous les hommes, qui en redemandaient. Quand elle se pencha pour saisir l'ourlet de sa robe, ses seins sortirent presque de son bustier, et les sifflements fusèrent de partout.

Michel Blais rongeait son frein dans son coin ; il n'avait pas eu la possibilité de répliquer à l'argument de Clément Gosselin. La réunion de recrutement se transforma en soirée de fête, chaudement approuvée par tous les habitants présents. Même les quelques soldats américains battirent le rythme avec leurs mains et sourirent de toutes leurs dents. Ce n'était pas tous les jours qu'on avait droit à un tel spectacle ! La chanson se poursuivit. La veuve Gabourie s'approcha d'un des hommes du village et lui frôla le bas-ventre avec une expression pleine de sous-entendus. En solo, elle chanta les deux versets suivants :

> *La grande vergue est en ivoire*
> *Les poulies en diamant*

Toute l'assistance s'esclaffa pendant que le villageois rougissait en devinant le double sens de la chanson devenue franchement crue.

> *La grande voile est en dentelle*
> *La misaine en satin blanc*

Les dames Parent et Chabot avaient montré leurs jupons et leurs culottes longues en chantant les deux dernières phrases en duo. Hélène vint rejoindre les trois femmes pour le refrain connu de tous :

> *Ah ! La feuille s'envole, s'envole*
> *Ah ! La feuille s'envole au vent*

Les cris et les bravos se mêlèrent aux applaudissements nourris. L'alcool produisait son effet : le plaisir et la fête avaient remplacé les réticences et les angoisses devant l'idée de s'enrôler et d'accepter de se battre. Tous étaient détendus, réceptifs. On en redemandait. Hélène en profita pour s'adresser au groupe :

— Mes amis, savez-vous pourquoi on nous appelle les « reines de Hongrie » ? Non ? Eh bien, je vais vous instruire. C'est parce que, comme la reine de Hongrie, Marie-Thérèse, nous sommes plus braves que bien des hommes.

Des protestations montèrent parmi les colons. Hélène enchaîna :

— Marie-Thérèse fut la première femme « roi » de Hongrie. Les soldats qu'elle a menés courageusement au combat lui criaient : « Mourons pour notre roi Marie-Thérèse ! »

— J'accepterais bien de mourir pour toi, moi aussi, si tu relevais de nouveau ta jupe, lança Joseph Dumas.

De nouvelles salves de rires bien gras fusèrent de l'assistance.

— Joseph Dumas, moi, je voudrais que tu te battes, non pas pour mes cuisses, mais pour changer l'ordre des choses. Je te demande de m'aider à mettre les Britanniques dehors avec tous ceux qui nous prêchent la soumission et nous empêchent d'être nous-mêmes. Nous sommes des « reines de Hongrie » de chez nous, reprit Hélène en montrant de la main ses trois compagnes. Nous sommes ici pour vous convaincre de refuser la vie à genoux. Levez-vous et venez vous battre aux côtés des Américains qui veulent nous libérer de la dictature ignoble des bourreaux anglais et nous offrir un gouvernement bien à nous.

— Les Américains ont perdu la guerre ! Ils sont morts, blessés, malades, et la plupart d'entre eux sont retenus prisonniers entre les murs du Séminaire de Québec et du couvent des Récollets, déclara Joseph Dumas, d'une voix ragaillardie par l'alcool.

— Il va en arriver d'autres, beaucoup d'autres en renfort, rétorqua Hélène.

— Et si vous n'acceptez pas volontairement de vous battre, c'est eux qui vous y forceront, ajouta la veuve Gabourie.

— J'ai hâte de voir ça ! Qu'ils viennent ! Je n'ai pas peur, répondit Dumas.

La grosse femme de Pierre Parent, habituée à négocier dur avec ses concitoyens de la Beauce, s'en approcha. Elle était imposante et regarda le protestataire de haut pendant quelques secondes, comme une mégère demandant des comptes à son homme. L'assistance attendit la suite. Soudain, elle plaqua sa main solidement sur l'entrejambe de Dumas :

— Où elles sont, tes couilles, mon lapin ? As-tu peur de te battre ? Vas-tu laisser ta femme le faire à ta place ?

Dumas se plia en deux et grimaça de douleur. Tout le monde se tordit de rire. Paul Picard poussa même la farce jusqu'à s'approcher grossièrement de la femme en lui présentant son bas-ventre et criant :

— Moi itou, moi itou !

L'atmosphère avait complètement basculé. Hélène profita de la bonne humeur générale pour grimper sur la boîte à bois, un énorme coffre muni de poignées de fer dans lequel on remisait les copeaux d'allumage. De cet endroit, elle dominait l'assistance. Elle eut malgré tout un peu de mal à obtenir le silence ; l'alcool et les propos égrillards avaient totalement dissipé l'attention. Son corps de déesse, enveloppé dans sa robe écarlate qui lui collait à la peau et moulait ses formes pleines, en faisait un objet de désir pour la plupart des hommes présents. Elle parvint donc, en quelques mouvements des hanches, à attirer le regard concupiscent de tous. Finalement, le silence revint.

— Écoutez-moi ! cria-t-elle. Je sais, moi, que vous êtes des hommes et que vous n'avez pas la trouille ! Les Américains ont perdu une première bataille. C'est vrai. Ils n'étaient pas bien préparés et ils étaient mal armés. Mais apprenez ceci : ils n'étaient surtout pas bien appuyés par les gens d'ici. Voilà pourquoi ils ont failli à la tâche. Très peu d'entre nous sont allés se battre à leurs côtés. Et c'est inacceptable. Ces Américains ont parcouru des centaines de milles pour venir jusqu'ici. Ils ont affronté une foule d'épreuves, surtout ceux qui sont passés par la rivière Chaudière. Ils ont enduré tout ça pour libérer le continent des exploiteurs britanniques et nous offrir de nous gouverner nous-mêmes. Ils sont venus pour nous affranchir, nous autant qu'eux, de ces dominateurs de la pire espèce et de tous les despotes du monde. Cela inclut les seigneurs et les curés qui travaillent pour eux à soumettre la population. Les Américains sont venus nous apprendre à nous administrer nous-mêmes. Ceux qui ont refusé d'appuyer ces braves n'ont tout simplement pas compris les enjeux ; ils n'ont pas réalisé qu'il y allait de leur liberté et de celle de leurs enfants à venir. Si vous renoncez à vous battre aujourd'hui, ce sera pour des décennies et même des siècles que vous accepterez d'être asservis à la Grande-Bretagne et à ses représentants. C'est ça que vous voulez ? Dépendre à jamais de quelqu'un d'autre, de ceux qui ont tué vos pères, brûlé vos maisons, violé vos femmes et vos filles ?

Il y eut du remous dans l'assistance. Plusieurs étaient ébranlés par le discours d'Hélène. On était passé abruptement de la farce grasse aux propos sérieux et aux souvenirs douloureux.

— Et l'excommunication, le refus des sacrements, même du baptême, du mariage et de l'extrême-onction, vous en faites quoi ? cria Blais, hors de lui, en voyant qu'il était en train de perdre la partie. Vous souhaitez que nous soyons tous damnés ?

— Je trouve tout bonnement ignoble que les curés nous manipulent en se servant de leur emprise sur notre droit au paradis, répondit-elle en le regardant fixement dans les yeux. Ils ne sont pas mieux que vous, d'ailleurs, les seigneurs. Vous travaillez main dans la main avec ces maniganceurs pour protéger vos impôts comme ils sécurisent leur minable dîme, grâce au concours des administrateurs britanniques.

— Blasphème ! hurla Michel Blais. Si Curot vous voyait dans vos tenues de dévergondées, il vous enverrait directement au bûcher.

La grosse Parent fendit la foule dans sa direction.

— Les curés, eux, je sais depuis longtemps qu'ils n'ont que des burettes. Mais les seigneurs, je n'en étais pas sûr, lança-t-elle.

Blais, anticipant ses intentions, recula vers la porte de la chaumière et sortit en la rabattant de toutes ses forces. Hélène attira l'attention de nouveau et enchaîna :

— Comme je le disais : vous autres, vous êtes des hommes, des vrais. Je suis persuadée que vous n'avez pas peur de tenir un fusil. Et je veux que vous sachiez que la guerre des Américains, c'est aussi la nôtre, et elle est loin d'être perdue. À Montréal, qui est désormais une ville américaine, comme les Trois Rivières d'ailleurs, Hazen a été délégué par Benedict Arnold pour lever une armée de cinq cents combattants. Il réussira sans difficulté, car il y a plus de trois mille braves dans la région de Chambly, prêts à nous suivre. Savez-vous que les Britanniques ne comptent pas plus de huit cents soldats dans l'ensemble du territoire de la province ? Des renforts s'en viennent des colonies du sud et seront ici très bientôt. Et nous autres, nous allons cette fois prendre en main notre propre destinée. Debout, tous unis, avec les Yankees, nous chasserons ces maudits envahisseurs britanniques de nos terres. Croyez-moi, nous serons plus forts qu'eux. Ils vont regretter ce qu'ils ont fait endurer à nos pères.

Les jeunes, surtout, s'enthousiasmèrent. Leur virilité, mise à mal par ces femmes courageuses, se réveillait. Ils s'approchèrent les premiers d'Hélène, qui les dirigea vers Clément et ses hommes. Certains résistèrent à l'appel et sortirent discrètement. Plusieurs questionnaient les recruteurs à propos des armes et de la solde. Les Américains voudraient-ils honorer leurs contrats ? Le sujet était sensible, Hélène le savait. D'un ton rassurant, elle vanta le système de billets aux porteurs. Les autorités du Congrès tiendraient les promesses faites aux soldats. On n'avait pas à s'inquiéter. Tout le monde allait être payé.

En quittant la maison de Jean Morin, Clément avait compté que, sur une quarantaine d'hommes présents, seule une vingtaine avaient accepté de s'enrôler. Ils montèrent dans la carriole qui ramènerait les « reines de Hongrie » vers le refuge de la Gabourie. Hélène et les trois amazones, les deux pieds sur les briques chaudes, se réchauffèrent sous les grandes peaux de bison prévues pour le confort des voyageurs, pendant que Clément prenait les guides. Sous un ciel noir piqué d'étoiles, les soldats américains les suivaient en cortège, dans une seconde carriole empruntée à Berthier-sur-Mer.

Clément réfléchit en conduisant la jument. La rencontre lui avait laissé un goût amer. Il était passé à deux doigts de l'échec. Par chance, Hélène était venue et avait sauvé la situation.

Il comprenait maintenant pourquoi elle avait insisté pour réunir les femmes insoumises. Il prenait conscience de la puissance de ces « reines de Hongrie ». La résistance à l'enrôlement était beaucoup plus forte qu'il ne l'avait cru. Or Hélène avait eu cette idée merveilleuse. Elle avait deviné, elle, que des battantes pouvaient convaincre des hommes récalcitrants mieux que n'importe quel argument de la raison. Un mâle ne pouvait supporter d'être humilié par une femme. Hélène connaissait parfaitement l'effet qu'elle avait sur les militaires : en sa présence, chacun ressentait un besoin urgent de manifester, hors de tout doute, sa virilité et sa bravoure. Sans ces « reines de Hongrie », pensa Clément, son embrigadement aurait pu être un échec complet.

— À l'avenir, nous ferons équipe pour recruter, dit-il à l'intention d'Hélène et de ses compagnes. J'ai besoin de vous. Nous visiterons tous les villages de la côte, les uns après les autres.

En entendant cela, la grosse femme Parent se leva dans la carriole en marche, laissant tomber le pan de couverture qui enveloppait sa masse imposante. Puis elle se mit à chanter en dansant :

Yankee Doodle went to town
Riding on a pony

Les trois autres femmes reprirent en chœur, heureuses de voir leur collaboration reconnue. Les hommes d'Arnold leur avaient appris cette chanson quand ils étaient sortis des bois à Sartigan. Dans la seconde carriole, les soldats américains se mirent à chanter les vers suivants, comme en écho :

Stuck a feather in his cap
And called it macaroni

Les deux traîneaux glissèrent dans la nuit claire et froide. Les chants et les rires montèrent jusqu'aux étoiles. Hélène fut prise d'une hilarité où se mêlaient du bonheur et de l'angoisse.

Sa stratégie avait porté ses fruits. La bonne nouvelle était surtout qu'elle pourrait accompagner Clément partout, dans chaque village, même à La Pocatière.

Quant à ce dernier, la robe rouge d'Hélène l'avait franchement allumé et il fantasma un instant sur la séance d'amour qu'il allait lui réclamer à la première occasion. Mais, malgré le plaisir anticipé, son air préoccupé ne le quittait pas. Il se doutait de plus en plus, lui aussi, que la partie n'était pas gagnée. Pour la première fois, il ressentit une réelle animosité envers ses semblables qui acceptaient d'être des sujets britanniques et refusaient de participer à leur propre délivrance. Comment pouvait-on s'accoutumer de la sorte à la dépendance ? Il se dit que la domination créait une blessure si profonde dans l'âme qu'il était extrêmement difficile d'en guérir.

Habitués à obéir, les Canadiens avaient intégré le regard de leurs conquérants. Ils se voyaient comme n'étant pas grand-chose, des perdants, des gens sans valeur, juste bons à servir et à vivre sous la commande d'autrui. Passer de personne à quelqu'un était l'un des défis les plus durs à relever pour un humain. Surtout dans une société dominée par l'Église, qui s'acharnait à maintenir le peuple à genoux en invoquant la vertu.

Tout le long du voyage de retour, les chaumières se succédèrent. De leur cheminée de pierre montèrent des panaches de fumée, signalant la présence de familles éparpillées dans cette immense contrée de neige. De temps en temps, la lueur d'une chandelle ou d'une lampe illuminait un carreau, révélant l'enfant qui pleure ou l'amour qu'on s'inventait pour oublier la guerre. Clément se dit tristement que des êtres sans mémoire y vivaient. Pourtant, la plupart de ces maisons avaient été reconstruites sur les cendres encore chaudes des incendies allumés par leurs tortionnaires. Comment, dans ce contexte, ne pas vouloir profiter de l'élan de libération des Américains ? C'était à n'y rien comprendre. Mais c'était un fait, et il fallait en tenir compte.

Il se rappela que ces gens étaient en général peu instruits, ce qui les rendait plus vulnérables aux diktats des prêtres. L'autorité britannique interdisait toute importation de livres depuis 1763. Aux Trois Rivières, chaque élève devait lire à tour de rôle l'unique exemplaire dont on lui défendait de tourner les pages pour ne pas l'abîmer. L'ignorance, voilà contre quoi il se battait. Clément comprit qu'il devrait être beaucoup plus persuasif s'il voulait des résultats. Il se servirait d'abord des femmes pour humilier les hommes. Mais s'ils s'entêtaient dans leur résistance, il emploierait des méthodes qu'il avait écartées jusqu'ici.

C'étaient des gens qui marchaient à la peur, alors il lui faudrait les faire trembler à son tour. Il tenta de se convaincre qu'il n'aurait pas besoin de se rendre à cette extrémité. Il eut froid tout à coup et cingla la jument qui passa du trot au galop. Hélène, qui s'était assoupie, bien au chaud sous sa pelisse, sursauta, puis chercha son regard et lui fit un sourire las. Clément se rappela qu'heureusement l'amour existait toujours. La robe d'Hélène lui revint en mémoire. Rien n'était jamais tout noir ou tout blanc dans la vie. Par chance, il y avait aussi le rouge. Il fouetta sa monture pour arriver plus vite au refuge.

CHAPITRE 13

Fin février 1776. Côte sud du fleuve Saint-Laurent.

Clément et Hélène avaient élu domicile dans un chalet mal chauffé, à quelques pas du refuge de la Gabourie. Pour avoir un peu d'intimité, ils avaient décidé d'abandonner l'ancienne remise à bateaux aux « reines de Hongrie ». Les militaires, quant à eux, avaient tous regagné les quartiers généraux de l'armée à la pointe Lévy, sauf un petit détachement, hébergé chez l'habitant autour de l'église de Berthier-sur-Mer et qui les accompagnait aux réunions d'enrôlement.

Leur nouveau nid d'amoureux était juché sur la falaise, face au fleuve, devant l'île d'Orléans. Le paysage descendait par paliers jusque sur les battures, encombrées par d'immenses glaciers, cassés et retroussés sans cesse par le flux et le reflux de la marée. Les couchers de soleil, sur la poudreuse accumulée au fil des jours, avaient une poésie telle que cela suffisait à faire oublier l'inconfort des lieux. Les concerts de rose et d'or, orchestrés par des fins de jours uniques au monde, comblaient l'âme et justifiaient de vivre en ce pays. L'isolation manquait toutefois dans le petit abri, mais, en chauffant le poêle au maximum, on parvenait à se garder au chaud.

Hélène jubilait à l'idée d'avoir retrouvé Clément. Il était redevenu son homme et, blottie contre lui, elle en arrivait presque à ressentir la sécurité de son enfance à Neuville. Seul le contact de sa peau lui permettait d'oublier ses angoisses quant à l'issue du combat. Clément, c'était désormais toute sa famille. De le sentir à ses côtés constituait pour elle la promesse que sa « vie d'avant », toute tressée d'amour, de paix et de liberté, allait lui être rendue un jour.

Ce matin-là, en s'éveillant sous la lourde courtepointe, elle avait choisi de rester dans son cocon de souvenirs joyeux. Elle regarda longuement Clément, assoupi. Depuis des jours, maintenant, elle vivait une idylle sans surprises avec lui. Elle était heureuse de ne plus éprouver l'affreuse déchirure de l'indécision qui l'habitait quand elle hésitait encore entre ses deux amants. Elle eut une pensée fugace pour Simeon. Elle la chassa, comme une évocation douloureuse, et se concentra sur l'homme qui dormait à côté d'elle. Les difficultés du recrutement menacèrent une nouvelle fois de s'imposer à son esprit, mais elle s'efforça de remettre à plus tard le moment où elle reprendrait sur ses épaules le poids de sa mission guerrière.

Cet instant matinal, tout doux, elle eut soudain le goût de le faire durer. C'était comme une éclaircie, un soleil en suspens au beau milieu d'une tempête, d'une histoire de violence à finir. Un îlot de paix sur une mer agitée. Ils étaient seuls au monde, au milieu d'une plaine de neige, dans un pays du bout de la Terre. Elle caressa d'abord sa poitrine velue avec une infinie lenteur. Puis elle laissa glisser sa main plus bas. Clément, dans un demi-sommeil, se sentit prêt à l'amour. Elle l'observa ouvrir les yeux et tourner son visage reconnaissant vers elle. Elle vit dans son regard encore engourdi que l'instant était, pour lui aussi, un pur bonheur. Elle l'encouragea et, bientôt, il se mit à la couvrir de caresses. Ils n'échangèrent pas un mot. Elle aimait cette odeur de sel sur sa peau, ce parfum viril particulier qu'il dégageait. Seules leurs mains exprimaient leur émoi et leur passion.

Leurs souffles s'amplifièrent de seconde en seconde, de geste en effleurement. Hélène, emportée par la vague érotique qui la traversait de la tête aux pieds, chevaucha Clément pendant plusieurs minutes. Lui, n'en pouvant plus, se laissa fondre dans ses vagues amoureuses et finit par se cabrer. Il s'épanouit en elle en étreignant de ses deux grandes mains son visage adorable. Hélène ne put contenir le cri rauque qui exprimait le feu violent qui embrasait ses hanches. Elle le garda en elle longuement. Après des instants de sérénité et de plénitude, elle roula à ses côtés. Couchés sur le dos, ils restèrent un temps, immobiles et nus, les yeux mi-clos, comme s'ils refusaient de briser le charme fragile de cet intervalle d'apaisement, entre le sommeil et l'éveil, la violence et l'amour. Hélène lui murmura à l'oreille :

— Tu es ma lumière, Clément. Sans toi, j'ai l'impression que toute la vie, tout l'univers s'assombrirait…

— Je t'aime. Si tu savais à quel point tu es belle, tu comprendrais que cette lumière, c'est toi qui la portes.

Hélène se laissa un moment bercer par ces propos doux. Puis elle s'arracha au vieux matelas de plumes. Elle courut vers la porte. Clément l'entendit vomir à deux reprises. Il alla la rejoindre et la couvrit de l'édredon, avec affection. Depuis quelques jours, elle était en proie à des nausées matinales. Et lui s'interrogeait, bien sûr.

Hélène se laissa entourer de ses deux bras musclés. Elle aurait souhaité qu'il pose la question qui lui brûlait les lèvres, mais il se retenait. Elle aurait aimé répondre à cette question qui ne venait pas, lui confier qu'elle n'avait pas saigné comme d'habitude depuis presque deux mois. Mais elle respecta son silence. Il devint soudain très préoccupé, et une grosse ride lui barra le front.

— Écoute… Il y a beaucoup de résistance dans la population. Nous ne sommes pas près d'en finir avec cette guerre, déclara-t-il comme pour faire diversion. Il va falloir reporter à plus tard l'idée de faire des projets de vie commune. Je dois aller voir Germain Dionne. Il est riche et pourra nous aider à trouver des vivres et des munitions.

En abordant de nouveau ce sujet, Clément ferma la porte à toute possibilité d'explication quant au malaise d'Hélène. Du même coup, il mit une chape de plomb sur les épaules de sa maîtresse, l'enfermant dans son secret. Elle savait très bien que le recrutement n'allait pas bien du tout. Depuis janvier, les gens de la côte sud, constatant le peu de miliciens présents au camp de la pointe Lévy, avaient de la difficulté à croire en une quelconque revanche des rebelles. Cela n'aidait pas leur cause.

Pourtant, avec le temps, les choses s'étaient un peu améliorées. À la suite de plusieurs rencontres et de démonstrations des « reines de Hongrie », les rangs de la nouvelle armée rebelle avaient légèrement grossi. On promit aux néophytes qu'ils seraient bien payés dès l'arrivée des renforts américains, mais beaucoup doutèrent de la valeur réelle de l'argent de papier qu'ils recevaient des recruteurs au nom de Benedict Arnold et du Congrès. Pour tout appui militaire, un petit détachement de quelques centaines de *Patriots* était venu des Trois Rivières. Leur présence était symbolique, mais on les accueillit avec joie. Et on prévoyait que beaucoup d'autres encore viendraient.

Ce nouvel arrivage était à la fois une bonne et une mauvaise nouvelle, car il fallait nourrir tout ce monde, et les victuailles manquaient. Les fournisseurs habituels demandèrent d'être payés rubis sur l'ongle. La plupart refusèrent les promesses de remboursements émises sur papier par Clément. Wooster, ce maladroit qui avait fait de Montréal un échec américain, déménagé à Québec récemment, nomma un certain Féré commissaire du Congrès au ravitaillement. Mais avec Pierre Ayotte, celui-ci n'avait pas davantage de succès dans ses démarches.

Les deux hommes entreprirent une tournée des villages autour de la pointe Lévy et jusqu'en Beauce pour trouver des vivres. Le régiment, en reconstruction, grossissait de semaine en semaine, bien que très lentement, et l'insatisfaction se manifesta à propos de l'alimentation pitoyable imposée aux soldats. Devant les refus répétés de collaboration de la population, les ravitailleurs devinrent de plus en plus agressifs, sur la recommandation de Wooster lui-même. Il fallait à tout prix nourrir les troupes, sinon ce seraient la débandade, les désertions et la défaite au bout du compte. On n'avait plus le choix. Il fallait manger, même en l'absence d'argent.

Ce fut à partir de ce moment que les Américains firent sentir leur présence et soulevèrent la grogne dans les villages. Jusqu'ici, ils avaient accepté les réticences à porter secours aux troupes et la position de neutralité de plusieurs. Mais, l'urgence les y forçant, ils devinrent intimidants, oppressants. Hélène, devant ces gestes d'agression, recommença à avoir ses pressentiments affreux. Si on en était rendu à menacer la société française d'Amérique pour amener les gens à se libérer de leurs bourreaux, rien n'allait plus. On entrait dans l'absurde. C'est tout le combat de sa vie qui était en train de prendre une tournure désastreuse.

Depuis toujours, son rêve de rejeter le joug britannique et toute domination étrangère lui avait paru réalisable, bien que semé d'embûches. Mais là, non seulement la venue inespérée des rebelles américains n'avait-elle produit aucun résultat, mais le désengagement pitoyable des Canadiens allait empirer sous la pression qu'on exerçait sur eux. Pour la première fois de son existence, Hélène commença à douter de la réussite de son grand projet. Elle anticipait la catastrophe, et le sourire la quitta.

Les visions de Muraco lui revinrent en mémoire. Le vieux devin indien avait parlé de guerre, de beaucoup de blessés et de morts. Encore une fois, elle dut concéder qu'il avait vu juste. L'échec de Québec lui avait entièrement donné raison. Puis il avait parlé de guerres fratricides. Les divisions qu'elle voyait grandir dans les familles entre ceux qui soutenaient les Américains et ceux qui refusaient leur démarche ressemblaient beaucoup à l'amorce d'un conflit entre frères de sang.

Elle savait également que rien n'allait plus quant à l'appui de la population envers les Yankees. Pierre Ayotte s'était rendu à Saint-Roch où résidait le seigneur Duchesnay. Devant l'entêtement de ce dernier à refuser l'argent de papier, Ayotte réquisitionna par la contrainte cent dix minots de blé, remisés dans le moulin banal. La femme du milicien Blanchet, l'une des « reines de Hongrie » de Saint-Joseph de Beauce, signala aux troupes les réserves de farine du meunier François Nadeau. Féré y alla et dut saisir de force les grains et le pécule dont disposait le meunier. Rendus à menacer et à dépouiller ceux-là mêmes qu'ils souhaitaient avoir pour alliés, les rebelles se trouvèrent dans une situation totalement contradictoire : on contraignait les gens qu'on voulait délivrer de la soumission.

Hélène vivait dans la douleur cet écartèlement tragique qui annonçait un cul-de-sac. Cette prise de conscience l'affecta en profondeur et raviva toutes ses craintes, détruisant un peu plus son moral, déjà bas depuis le début de sa grossesse secrète. Elle se rappela que, la semaine précédente, la compagnie de Pierre Ayotte avait réquisitionné les réserves d'alcool d'Augustin Fraser. On lui avait également saisi un habit complet de soldat et un fusil à bourre en parfait ordre. À Montmagny, on s'empara de trois barriques de vin de Bordeaux à la Fabrique. Le curé Maisonbasse entra dans une colère biblique et jura que les voleurs ne l'emporteraient pas au paradis.

Elle était donc vraiment inquiète de la tournure que prenaient les événements, et l'oracle de Muraco menaçait de s'avérer sur toute la ligne. Quant à la prédiction au sujet d'un homme qu'elle allait tuer, elle n'osait même pas y penser. Sur ce point, elle était convaincue qu'il s'était trompé. Jamais elle ne tuerait qui que ce soit. Ça, elle le savait. Par contre, il avait aussi annoncé qu'elle enfanterait dans la solitude et le désespoir. Et voilà qu'elle ne saignait plus. Et Clément ne semblait rien vouloir entendre des messages qu'elle lui envoyait sur son état.

ഹ

— Dès demain, reprit Clément, je partirai à La Pocatière pour recruter, mais surtout afin d'obtenir l'intervention de mon beau-père. S'il accepte de payer les vivres dont l'armée a besoin, nous éviterons de maltraiter les gens pour donner à manger aux nôtres.

— Je veux t'accompagner, insista Hélène. Mais d'abord, laisse-moi le temps de passer voir ma mère et ma sœur à Saint-Pierre-de-la-Rivière-du-Sud. Je crois pouvoir convaincre mon oncle Jean-Louis de se joindre à nous. Ça en fera un de plus. Au point où nous en sommes, il ne faut rien négliger.

— D'accord. Nous ferons un détour par là avec les carrioles et les chevaux.

Hélène lui sourit et le serra fort dans ses bras, sans l'embrasser toutefois. Elle avait un goût amer dans la bouche, d'avoir vomi, mais surtout d'avoir refoulé au plus profond d'elle-même son secret de femme enceinte. La phrase de Clément sur les « projets de vie commune » qu'il fallait remettre à plus tard lui bourdonnait douloureusement dans la tête. Le moment était mal choisi pour lui apprendre qu'il allait être une fois de plus père. Elle se sentait immensément seule, prisonnière de la situation. La vie grandissait inexorablement dans son ventre, mais refusait de renaître dans l'âme des gens agenouillés de l'Amérique française.

CHAPITRE 14

Mars 1776. Saint-Pierre-de-la-Rivière-du-Sud.

Chaque habitant avait l'obligation d'entretenir la route pour faciliter le passage des attelages. On aplatissait la neige au rouleau ou à la gratte, mais plusieurs cultivateurs négligeaient leur tâche et compliquaient la vie de tout le monde. Le voyage du convoi de carrioles, depuis Berthier-sur-Mer, fut donc plus difficile que prévu. Au tournant du chemin, la maison de Jean-Louis Crépeaux jaillit enfin à l'horizon, au grand soulagement de tous.

Elle était blottie dans son écrin de poudreuse fraîchement poussée par le vent d'ouest. Hélène se souvenait que, pour l'accueillir avec Gilberte, sa sœur et ses deux frères, son oncle Jean-Louis avait reconstruit sa demeure afin qu'elle puisse abriter deux familles. La cuisine d'été avait donc perdu son toit pointu et son charme habituel, et quatre petites pièces avaient été aménagées au second étage. C'est dans l'une de ces chambres qu'Hélène avait vécu son adolescence, harcelée par les demandes incessantes de Laurent Descôteaux.

En apercevant la fumée blanche qui s'échappait de la cheminée du bâtiment, elle éprouva un serrement au ventre. Elle allait revoir sa mère et sa grande sœur, Isabelle. Le dernier souvenir qu'elle avait de cette dernière était chargé de tristesse : l'image d'une femme battue, aux yeux noircis par les coups, qui tenait dans ses bras tremblants sa petite Angèle que menaçait son père irlandais. Hélène soupira. Elle s'arracha à sa grosse fourrure de protection et mit pied à terre dès que les chevaux s'immobilisèrent.

Clément avait arrêté le convoi devant l'étroit corridor de neige qu'on avait déblayé à la pelle de bois sur une trentaine de pieds, jusqu'à l'entrée de la cuisine d'été. Il avait convenu qu'il laisserait Hélène vivre seule ses retrouvailles. Pendant ce temps, il se rendrait au village de Saint-Pierre-de-la-Rivière-du-Sud pour tenter de convaincre Louis Fontaine de fournir quelques minots de blé à l'armée américaine. Cela fait, il reviendrait chercher Hélène pour foncer vers La Pocatière.

Comme celle-ci ne s'était pas annoncée, il attendit patiemment, avant de fouetter l'attelage, qu'elle lui indique que tout se passait bien. Il l'observa s'avancer le long du petit ruban de neige qui serpentait jusqu'à la porte. Aucun signe de vie. La fumée dans l'âtre témoignait pourtant d'une présence à l'intérieur. Normalement, les rideaux de lin auraient dû bouger à la fenêtre, agités par les résidants curieux. Ce n'était pas tous les jours qu'un convoi de traîneaux passait sur la route. On se déplaçait peu l'hiver, d'un village à l'autre, et l'arrivée de plusieurs carrioles sur le chemin attirait forcément les regards.

Hélène actionna la clenche de la porte. À cet instant, le carreau d'un châssis avant de la maison vola avec fracas en mille morceaux. Le canon d'un fusil apparut. Un coup retentit, et l'un des soldats de la deuxième carriole fut atteint à l'épaule. Devant cette attaque inattendue, les militaires saisirent leurs fusils et sautèrent pour se mettre à l'abri derrière les véhicules. Il fallut un moment pour charger les armes à bourre. Un autre tir jaillit du carreau brisé. Cette fois, personne ne fut blessé. Hélène empoigna le pistolet qu'elle portait toujours à la ceinture, à la manière des flibustiers, et entrouvrit prudemment la porte de la cuisine d'été.

— Ne tirez plus ! cria Clément depuis le premier traîneau. Nous ne sommes pas des ennemis !

Une nouvelle détonation se fit entendre, assourdissante. L'une des montures se cambra, et Clément dut saisir les guides pour maîtriser sa jument, qui prenait le mors aux dents.

Hélène, avec beaucoup d'hésitation, ouvrit juste assez la porte pour épier. Elle entrevit Peter Oak, à la fenêtre, en pleine crise, rechargeant son arme pour la quatrième fois. Il avait l'écume à la bouche et le regard dément. Isabelle, sa petite Angèle dans les bras, et sa tante Solange Desruisseaux, tremblant de peur, s'étaient réfugiées au fond de la cuisine près de sa mère, Gilberte, recroquevillée et pétrifiée sur la grande chaise berçante.

Jean-Louis Crépeaux, lui, se tenait à quelques pas du forcené et tentait de le calmer en lui répétant que les rebelles n'étaient pas venus pour lui. Ils avaient seulement escorté Hélène qui leur rendait visite. Celle-ci poussa la porte un peu plus et grimaça au son du grincement des pentures mal entretenues. Peter avait entendu, lui aussi, et se retourna vers elle avec des yeux hagards. Il était complètement paniqué et la mit en joue.

— Ne fais pas ça ! cria Jean-Louis. C'est la sœur de ta femme, bon Dieu !

Le coup partit, mais Hélène l'avait anticipé en plongeant au sol. Elle vida son arme à son tour et Peter s'effondra avec une mauvaise grimace. La balle l'avait atteint en pleine poitrine. Un cerne rouge s'élargit sur sa camisole de laine beige, et il s'affala sur le plancher, la tête la première, dans un bruit sourd. Hélène resta immobile de longues secondes, le pistolet pendant au bout du bras. Elle pensa défaillir. La prédiction du vieux Muraco lui traversa l'esprit. Elle venait bel et bien de tuer un homme. Elle rangea l'arme dans sa ceinture, d'une main agitée de tremblements. Par le carreau brisé, elle cria aux soldats encore embusqués derrière le convoi :

— Ne tirez plus ! Il est mort.

Puis elle alla s'agenouiller près de la berceuse, où sa mère était en proie à une violente crise nerveuse. Son visage était d'une pâleur effrayante.

— Maman, pardon ! Oh, Isabelle ! Qu'est-ce que je viens de faire là ? Je me réjouissais à l'idée de venir vivre un moment de tendresse avec vous et regardez ce qui s'est passé !

— Il était très fiévreux et il est devenu fou en voyant les miliciens s'arrêter devant la maison, arriva à dire Gilberte entre deux sanglots.

Hélène, désolée, fila consoler Isabelle, qui avait de la difficulté à contenir sa petite Angèle ; elle s'était mise à pleurer très fort, ajoutant à l'énervement de chacun.

— Quand il vous a aperçus, il a pensé que les Américains venaient pour lui, précisa Gilberte, encore paniquée.

— En décembre dernier, il est tombé malade et n'a pas pu rejoindre l'armée britannique à Québec. Depuis ce temps, il se croyait sans cesse menacé par les rebelles. Il n'a pas cessé de nous tenir dans la terreur, enchaîna Jean-Louis. Il entendait des voix, il voyait des ennemis partout. Il est mort. Bon débarras.

Il jeta un regard furtif à Isabelle pour savoir s'il l'avait blessée par son propos franc et spontané, mais ne retira rien de ce qu'il venait de dire. Clément apparut, essoufflé et blanc comme un drap. Il perdit presque son tricorne en passant sous le linteau de la porte basse menant à la cuisine d'été. Ses yeux nerveux balayèrent la place, allant d'Hélène au corps de Peter. Les autres recrues se massèrent derrière lui, le fusil à la main, prêtes à intervenir.

— Ça va ? demanda-t-il à Hélène.

— Il est mort, répondit-elle. Enfouissez-le sous la neige, derrière la maison. On l'enterrera pour de bon au printemps.

Il acquiesça d'un signe de tête.

— Je reviendrai te reprendre dans une heure ou deux, lui lança-t-il.

Il se pencha pour ramasser le cadavre et sortit le corps de Peter avec l'aide de ses hommes. Isabelle éclata en larmes en les voyant l'emporter. Gilberte l'entoura de ses bras pour la réconforter. Hélène fut la première à retrouver ses sens et à quitter le faux sentiment de culpabilité qui l'habitait. C'était davantage l'effet de la surprise d'avoir tué un homme qu'une authentique empathie.

— Tu ne vas pas pleurer la mort de ce salaud, tout de même ? déclara-t-elle, estomaquée.

— C'était le père de ma petite fille, bredouilla Isabelle en sanglotant et en reniflant. Et puis qu'est-ce qu'on pourra dire aux Habits rouges quand ils reviendront pour lui ?

— Eh bien, tu n'auras plus le choix. Nous avons l'obligation de gagner cette guerre, maintenant, sinon les Britanniques nous accuseront tous d'avoir tué un des leurs. Tout ce que tu pourras leur fournir comme explication, ils ne le croiront pas. Nous n'aurons jamais le dessus avec eux, ni la justice, tant qu'ils ne seront pas tous repartis.

— Cette guerre n'est pas l'affaire d'une jeune mère, déclara Jean-Louis. Isabelle doit rester ici pour s'occuper de sa fille. Mais moi, j'irai me battre avec vous.

Il ramassa le fusil que Peter avait laissé tomber dans sa chute. Il en essuya la crosse qui avait baigné dans la mare de sang et le tendit à Hélène.

— Tiens, ça nous en fera un de plus, dit-il.

Sa femme Solange se mit à pleurer.

— C'est ça ! Va te faire tuer, toi aussi, articula-t-elle, le visage en larmes. On n'aura donc jamais la paix sur cette terre de malheur ?

Gilberte, stoïque, alla chercher des tasses et y versa du thé, qui chauffait déjà sur le poêle. Elle en plaça une devant Hélène, qui s'était assise sur une des chaises basses entourant la table, aux larges planches de pin. Dehors, les carrioles se remettaient en marche.

La vapeur du liquide brûlant était invitante. Hélène en but et cela lui fit du bien. Son regard glissa d'Isabelle à sa mère. Les deux lui parurent avoir beaucoup vieilli. La belle tête grisonnante de sa mère, toujours coiffée en chignon, était désormais blanche. Isabelle, elle, avait les yeux cernés et malades. Sa petite fille avait fini par se calmer et suçait à présent son pouce en maintenant des spasmes nerveux intermittents. La scène horrible de la mort de son père allait sans doute la marquer pour longtemps.

Hélène scruta le visage amaigri d'Isabelle. Elle revit en souvenir la jolie adolescente qui faisait tant d'effet aux garçons. Où était-elle, à présent, cette jeune femme blonde et séduisante, qui laissait éclater le jus des fruits rouges sur ses lèvres pour émouvoir les soldats du village de Neuville ? Elle n'était plus que l'ombre d'elle-même. Que de misères avaient causées ces Britanniques aux gens de l'ancienne Nouvelle-France !

— As-tu des nouvelles de Pierre et Jules ? demanda Hélène à sa mère.

— La dernière fois que je les ai vus, c'était au baptême d'Angèle, répondit Gilberte. Elle aura trois ans bientôt.

Les grands yeux de cette femme, d'une immense tendresse et qu'avait tant aimée son époux, Marc-Antoine, se teintèrent de tristesse à l'évocation de ses deux garçons.

— Ils sont toujours dans la milice du roi, reprit Isabelle, qui s'était un peu calmée. Notre oncle Gilbert, qui les a accueillis à La Pocatière à la mort de papa, est un royaliste convaincu. Il n'approuve pas du tout ce que tu fais. Il dit que tu vas finir la corde au cou, dans une cage de fer, comme la Corriveau. Il n'aime pas les Américains, et encore moins les rebelles, comme toi, qui les aident. Il s'entendait par contre très bien avec Peter.

En prononçant le nom de son mari décédé, Isabelle recommença à pleurer. Hélène n'arrivait pas à comprendre que sa sœur puisse avoir encore quelque affection pour ce despote qui avait été son époux : elle était comme le reflet d'une large part de la société française qui s'était écrasée devant son tyran, saisie d'un intérêt maladif pour son propre bourreau. Cela la dépassait. Gilberte lui servit une tasse de thé et lui retira Angèle des bras pour aller la bercer et la calmer. Jean-Louis, qui avait disparu dans sa chambre, en revint avec son bagage, son arme de chasse et son capot gris. Il était prêt à suivre les rebelles. Hélène regarda sa mère et lui annonça :

— Nous partons pour La Pocatière y faire du recrutement et retrouver Germain Dionne. J'essayerai de parler à Pierre et à Jules. Je tiens à les prévenir des dangers qu'ils courent en appuyant Carleton. As-tu un message pour eux ?

— Dis-leur que je les aime, répondit-elle, émue. Raconte-leur que leur mère pense souvent à eux, à l'autre bout de ce pays trop grand.

— Dis-leur qu'ils me manquent, à moi aussi, enchaîna Isabelle. Et… ne leur apprends pas pour Peter. Ils t'en voudraient.

Elle continua à sangloter. Hélène détestait voir son aînée ainsi démolie. Au fond, elle n'était qu'une victime de plus du régime des Tuniques rouges. Les Britanniques avaient réussi, avec l'aide du pouvoir en place, à monter les habitants de la Province de Québec les uns contre les autres. Deux de ses frères, qui faisaient jadis partie de sa vie et de ses jeux, qui avaient partagé l'amour de ses parents et l'existence toute libre qu'avait été leur enfance commune, étaient désormais passés dans le camp ennemi.

Quant à Isabelle, qui pleurait comme une Madeleine la mort de son époux irlandais, elle avait son conquérant inscrit pour de bon dans la chair. La petite Angèle lui rappellerait jusqu'à la fin de ses jours qu'un peuple étranger était venu s'insinuer de force dans la société canadienne naissante. Les autorités locales avaient contraint les gens à respecter et même à aimer cette administration imposée. Isabelle et son mariage tragique étaient le symbole de toute une collectivité qui ne savait plus trop bien ce qu'elle était, qui vivait avec l'autre planté en plein cœur.

Après seize ans, beaucoup ne se souvenaient plus des raisons qui les avaient conduits sur ce coin de terre. Ils avaient perdu le courage qui les avait pourtant menés à la victoire de la bataille de Sainte-Foy. Hélène se leva et alla prendre Angèle des bras de sa mère. Aussitôt, l'enfant démontra un vif intérêt pour la lunette d'approche cuivrée qui pendait à son cou. Hélène ne s'en était jamais départie depuis le départ de la pointe aux Trembles.

— Sais-tu ce que c'est, petite fille adorable de ma grande sœur ? dit-elle. Elle appartenait à ton grand-papa. Il me l'a confiée pour que je voie toujours venir les choses.

Isabelle esquissa un premier sourire triste en découvrant celui d'Hélène. Elle était heureuse que sa cadette s'intéresse à sa progéniture.

— Et devine ce que je vois venir pour toi dans cette lunette ? continua Hélène. J'y apprends qu'un jour tu seras libre et que tu connaîtras l'existence magnifique que ton grand-père avait rêvée pour toi sur ce continent. Nous allons gagner la guerre et, quand les Britanniques seront retournés chez eux, nous retrouverons la belle liberté à laquelle nous avons droit. Des jours merveilleux se dessinent à l'horizon, pour toi, pour mes frères, ma mère et la tienne. Un ordre nouveau pour tous les nôtres, un gouvernement qui ne dépendra plus de la Grande-Bretagne, ni de la France qui nous a laissés tomber, ni des curés, ni des seigneurs, mais des gens comme toi et moi, débarrassés enfin de toutes les tyrannies du monde.

Elle se leva et confia l'enfant à Isabelle. Le convoi de Clément venait de réapparaître sur le chemin. Hélène embrassa sa sœur, puis sa mère, avec beaucoup d'affection. Jean-Louis serra longuement sa femme contre lui. Solange pleura de nouveau. Il s'arracha à son étreinte et emboîta courageusement le pas à sa nièce rebelle. Tous les visages qu'Hélène portait en elle, et qui motivaient son combat, se mirent à la fenêtre pour la voir s'éloigner, sur la mauvaise route d'hiver, en direction de La Pocatière.

CHAPITRE 15

Mi-mars 1776. La Pocatière.

Le curé Porlier, de Sainte-Anne-de-la-Pocatière, regardait par la fenêtre de son presbytère quand il aperçut le cortège de traîneaux, Clément Gosselin en tête. Il grimaça. Décidément, ces partisans américains n'abandonnaient pas facilement ! Profondément contrarié, il suivit des yeux le convoi de carrioles qui s'engageait dans la côte abrupte pour gagner le centre du village, en haut de la falaise. Puis il laissa son regard errer sur le fleuve où l'on pouvait deviner l'île aux Coudriers dans la brume et les glaces du cours d'eau, presque aussi large qu'un océan en cet endroit. D'interminables champs de foin de mer dormaient sous la gelée. L'espace ne manquait pas dans cette région du monde où l'horizon s'étendait partout.

En secouant la tête de désapprobation, il revint à ses invités. Il y avait là l'abbé Bailly de Messein, un grand sec au profil autoritaire. C'était le précepteur des enfants de Carleton et, durant son congé, il voyageait d'un village à l'autre pour prendre le pouls de la rébellion auprès des curés et des seigneurs. Le diacre Jean-Marie Fortin se faisait humble et discret, dans un coin à l'écart, les deux mains sur les genoux, dans une attitude sage et soumise.

Le curé Maisonbasse de Saint-Thomas de Montmagny était présent, lui aussi, pour des motifs précis. Depuis qu'il s'était fait voler ses précieuses barriques de vin de messe, il avait tenté de provoquer une rencontre au sommet pour réagir à la réorganisation des rebelles américains sur la côte sud. On y était. Les Américains avaient, selon lui, dangereusement monté le ton, et leurs menaces auprès des gens fidèles au mandement de Mgr Briand étaient totalement inacceptables.

— Ils m'ont pris de force mes réserves, dit-il en promenant son gros ventre dans la pièce, et ils s'emparent du grain partout où ils en trouvent. C'est honteux. S'ils s'imaginent qu'ils vont gagner l'appui des habitants en les forçant comme ils le font, ils se trompent.

— Pierre Ayotte est venu, le mois dernier, avec un message du général américain David Wooster, enchaîna Porlier. Il a menacé notre capitaine de milice Roy-Lussier de peine de mort ou d'exil s'il continuait à nuire à la cause des Américains. Le simple fait de parler contre les Yankees pourrait entraîner ces sanctions.

— Cet arrogant de Pierre Ayotte, quand je lui ai porté votre lettre en mains propres, il a carrément ri de vos reproches, déclara le diacre Fortin sur un ton exagérément offusqué. Il a ajouté qu'avec la nouvelle armée qui volerait à leur secours nous ravalerions tous nos paroles très bientôt. Un flagrant manque de respect envers l'Église !

— Même avec la fonte des neiges et les premières débâcles, répondit Bailly de Messein, aucun renfort ne viendra avant un bon bout de temps, croyez-moi. Mais j'ai fait le tour des villages de la côte et je peux vous dire que les royalistes sont de plus en plus nombreux à vouloir s'organiser pour résister. Il ne faudrait pas qu'un chef charismatique se montre pour réunir tous ceux qui restent soumis à la couronne, car le pire pourrait arriver.

Porlier reprit la parole :

— Le curé Verreau de Sainte-Marie de Beauce m'a rapporté que, dans sa paroisse, les Américains se comportent déjà en vainqueurs. Ils ont mis effrontément à l'encan tous les biens du seigneur Taschereau, comme si la nouvelle administration sociale leur en donnait le plein droit. Ils n'ont pas encore gagné la guerre, que je sache ! Vous imaginez ? En plus de voler le blé du meunier Nadeau de Saint-Joseph, ils menacent sans vergogne tous ceux qui refusent de s'enrôler auprès d'eux. Ils les obligent à remettre leurs fusils. Croyez-moi, ça ne sent pas bon du tout.

— Ils vont finir par payer le prix de tous ces crimes, le coupa Maisonbasse.

— À Saint-Roch, sous mon autorité comme vous le savez, enchaîna Porlier, ils ont réquisitionné les réserves d'avoine et brûlé la grange d'un récalcitrant. J'ai entendu dire qu'à Montréal le général David Wooster a brisé le pacte avec les habitants et instauré des mesures très dures contre les royalistes et les catholiques. Le voici maintenant à Québec pour y créer des problèmes semblables. Ici, à La Pocatière, nous pouvons compter heureusement sur les capitaines Roy-Lussier, Duchouquet et Caron. Ils sont restés fidèles à leur serment d'allégeance. Ils attendent des directives de Cramahé, qui ne viennent pas.

— Des ordres qui vont peut-être arriver plus vite que vous ne le croyez, insinua Maisonbasse comme s'il détenait un secret.

Tous se tournèrent vers lui, intrigués. Le curé Maisonbasse savourait l'effet dramatique de son intervention. Il prit bien son temps avant de préciser son propos :

— L'abbé Garreau, curé de Saint-Vallier, m'a appris que le 13 mars, discrètement, une chaloupe a navigué entre les glaces encore présentes sur le fleuve avec Jean-Baptiste Chasseur et un nommé Joseph Rogier à son bord. Ils avaient chargé la barque de mer de deux sacs de farine de cent livres chacun et de sept couples de dindons pour se donner des apparences de commerçants. J'ai su qu'ils avaient organisé ce voyage pour répondre à la demande du seigneur de Saint-Vallier. Ils se sont donc rendus ainsi à Québec où ils ont réclamé de la sentinelle une entrevue avec Carleton, rencontre qui leur fut accordée. Chasseur, meunier de Saint-Vallier, a alors expliqué qu'il avait cru bon de venir informer les autorités de son appréhension. Dans son coin de pays, les gens voudraient du changement. Ils n'aiment pas du tout être menacés de se faire incendier maisons et granges par les émissaires américains qui les pressent de s'enrôler dans l'armée rebelle. Carleton, soudain très intéressé, s'enquit de savoir combien il y avait d'impatients comme eux et, voyant qu'ils étaient des centaines, leur a demandé s'il connaissait M. de Beaujeu, seigneur de l'île aux Grues. Apprenant qu'il leur était familier, il chargea les deux émissaires de lui porter une missive dans laquelle il lui ordonnait, en tant qu'homme de courage et d'honneur, d'attaquer et de soumettre le camp américain de la pointe Lévy.

— Carleton va devoir sortir de la citadelle et envoyer son armée pour cela, répondit Bailly de Messein. Nous ne sommes pas assez nombreux pour vaincre à nous seuls les rebelles qui n'arrêtent pas de grossir leurs rangs.

— Vous vous trompez, affirma Porlier. Je vais vous confier quelque chose à mon tour.

Il s'interrompit, cherchant à créer lui aussi un suspense.

— On ne peut trahir le secret de la confession, mais, dans les circonstances de vie ou de mort où nous nous trouvons, je me le permettrai. Et puis nous sommes tous prêtres, cela restera entre nous. Un nommé Féré, commissaire du Congrès américain, affecté au ravitaillement, était de passage à Saint-Roch où il est venu m'ouvrir son cœur au confessionnal. Il avait du remords devant les saisies qu'on le chargeait de faire auprès des paroissiens. Je lui ai dit qu'il pouvait se racheter en nous tenant au courant discrètement de la situation des rebelles. Eh bien, savez-vous ce qu'il m'a raconté ? Il m'a confié la grande faiblesse des Yankees dans le camp de la pointe Lévy. Il a même ajouté que, lui, avec une cinquantaine de braves bien armés, il en viendrait à bout !

— Mais nous avons beaucoup plus que cinquante hommes fidèles à la Couronne, monsieur le curé ! laissa échapper le diacre Fortin, enthousiaste. Qu'attendons-nous ? Une victoire de notre part pourrait tout changer.

— Je sais, répondit Porlier, mais avec toute cette cabale des Américains, ceux qui nous appuient sont timides et ils ont peur de s'afficher. Il faudrait que votre Beaujeu se manifeste auprès d'eux pour leur conférer de l'élan. Ici, Caron, Duchouquet et Roy-Lussier seraient prêts à partir n'importe quand derrière lui. Ils rêvent de donner la réplique à Germain Dionne une bonne fois pour toutes. C'est moi qui les retiens. Ils attendent mon signal.

Tous ressentaient en cet instant la grande puissance de leur office. Ils étaient comme dans le secret saint. Porlier servit une liqueur forte dans de petits verres bordés d'or, des plus charmants. On trinqua. Le pouvoir de l'Église était grisant.

— Faites savoir au seigneur de Beaujeu qu'il doit se présenter, déclara Porlier à l'intention de Maisonbasse. L'heure a sonné.

⤳

Dehors, le convoi des rebelles était parvenu à mi-côte. Les attelages montraient des signes de fatigue après ce long voyage. Clément pouvait contempler avec nostalgie le nouveau toit de l'Église qu'il avait refait cinq ans plus tôt. Un couvreur y avait mis le feu par inadvertance et il avait fallu tout reconstruire. Le curé avait demandé au charpentier de l'île d'Orléans d'effectuer les réparations, en raison de la réputation d'excellent menuisier de son père, dont il avait tout appris.

Clément se souvenait de la grande fierté qu'il avait ressentie. C'était lors de ce premier été à La Pocatière qu'il avait rencontré Marie-Beuve et qu'elle était devenue sa femme. Puis il y avait eu la naissance de ses enfants et la longue descente aux enfers. Marie-Beuve avait sombré dans une mélancolie profonde dont elle n'était plus ressortie. La seule perspective de la revoir lui serrait le ventre. Mais l'idée de prendre ses enfants dans ses bras lui réchauffait le cœur. Avec le temps, il s'était fait une tête quant à son droit d'avoir comme tout homme une relation amoureuse normale avec une femme. Mais sa conscience le torturait d'avoir du même élan négligé sa progéniture. Il allait pouvoir parler à ses petits, leur dire qu'il les aimait toujours.

Il savait très bien, par contre, que la situation était délicate pour Hélène. Celle-ci, emmitouflée dans sa pelisse de chat sauvage, devinait les pensées de son amant à l'inquiétude dans son regard et à la grosse ride qui lui barrait le front en permanence depuis leur arrivée. Plus que lui encore, elle redoutait le retour de Clément dans son village. Il allait forcément rendre visite à sa famille. Cette perspective la remplit d'un grand malaise. Et si Marie-Beuve guérissait ? Il n'était pas impossible qu'un jour sa femme s'arrache à sa tristesse maladive et revienne à la vie. Que ferait Clément alors ? Se pourrait-il qu'il quitte sa maîtresse de nouveau et retourne à celle qu'il avait épousée devant Dieu ?

Hélène ne parvint à chasser ses craintes qu'en atteignant le magasin général de Roy-Lussier, où elle demanda à Clément de s'arrêter. Elle ne voulait pas se présenter les mains vides chez Rose-Alma, la sœur de sa mère. À l'intérieur, le fils du marchand, au comptoir, la salua. Derrière lui, sur les étagères soigneusement rangées s'alignaient tous les produits de première nécessité. De gros rouleaux de ficelle pendaient du plafond, au-dessus des étals, pour attacher les paquets des clients dans l'habituel papier brun.

Dans ce magasin, on négociait vraiment tout. Des barils de clous aux licous de chevaux, de la farine, du sucre, des savons forts, de la lessive, du miel, du tabac en feuilles et du sirop d'érable; tout était étalé, du plancher au soffite, dans un ordre minutieux. L'ardoise pour les ventes à crédit trônait derrière la caisse, et on y notait à la craie de chaux les noms de nombreux villageois moins fortunés. Le fils Roy-Lussier indiqua à Hélène, à sa demande, le présentoir des bonbons. Le propriétaire passa devant elle et sortit en trombe, faisant tinter la clochette de la porte d'entrée.

Clément le vit débouler à l'extérieur. Avec des regards courroucés à l'endroit des militaires américains, le marchand général hissa nerveusement le drapeau britannique au mât incliné du magasin. L'insulte était claire. Roy-Lussier père, capitaine de milice, voulait faire savoir à tous ces visiteurs indésirables qu'il n'était pas de leur bord et qu'il résisterait fermement. Pas question pour lui de se joindre aux Américains.

— Vous n'avez rien à faire ici, vous autres ! Fichez le camp ! leur cria-t-il.

Hélène ressortit, un petit paquet soigneusement ficelé sous le bras. Elle prit acte du rapport de force entre les passagers du convoi et le propriétaire du commerce. Le drapeau de la Grande-Bretagne claquait au vent avec insolence quand le cortège de carrioles se remit en marche. Par bravade, le marchand poussa même l'insulte jusqu'à cracher en direction des traîneaux. L'échange d'expressions haineuses indisposa Hélène. Elle mesura l'ampleur de la résistance aux rebelles dans cette paroisse. Décidément, le curé Porlier avait bien travaillé. La tâche des recruteurs allait être difficile. Hélène se demanda si ses deux frères la recevraient plus aimablement.

Les traîneaux glissèrent sur la distance d'environ un demi-mille et s'arrêtèrent devant la résidence de Gilbert et Rose-Alma Caron. Les rideaux bougèrent aux carreaux des fenêtres et plusieurs visages furtifs s'y montrèrent. Hélène mit pied à terre et s'engagea dans le corridor de neige fondante menant à la maison de bardeaux, noircie par les intempéries. Son oncle Jean-Louis la suivait trois pas derrière, son sac en bandoulière.

Hélène poussa la porte de la cuisine d'été et entra. Rose-Alma la reconnut et vint la serrer dans ses bras. Puis elle aperçut son frère et éclata en larmes. Elle accepta le petit présent que lui tendait sa visiteuse et s'affaira à en délier la ficelle.

Pierre fut le premier des deux frères d'Hélène à venir à sa rencontre, sans empressement toutefois. Hélène était émue de le retrouver; son préféré, du temps de la pointe aux Trembles, avait pris beaucoup de maturité.

— Oh, Pierre! Pierre! Ça fait si longtemps. J'ai peine à te reconnaître, dit-elle.

En réalité, il était devenu un homme. Sa chevelure blonde était toujours abondante, mais moins frisée que dans ses années de jeunesse. Hélène dut s'approcher de Jules, qui ne semblait pas aussi heureux de son arrivée. Il se contenta de la saluer sans quitter sa chaise. On était loin de l'époque où ses deux soleils couraient derrière elle dans les champs et partageaient toute joie avec elle.

— Nous resterons quelques jours. Pouvez-vous nous héberger? demanda Hélène.

Il y eut un malaise, car aucune réponse ne vint. Seuls le crépitement du feu et le tic-tac de la vieille horloge murale perçaient le silence et rendaient l'ambiance plus dramatique encore. La tension monta d'un cran et Hélène en éprouva une gêne bien réelle. Jean-Louis, n'y comprenant plus rien, questionna du regard sa sœur, mal à l'aise. Rose-Alma, tentant de faire diversion, lui versa une tasse de café de céréales qui fumait déjà sur le poêle à bois.

— Tiens, dit-elle. Ça va te réchauffer.

C'est alors que Gilbert Caron, vêtu de son pantalon à bretelles et d'une grosse chemise d'étoffe du pays, surgit dans l'ouverture de la trappe qui menait à la cave de terre battue. Il avait son arme à la main, ce qui fit se raidir ses visiteurs. Rose-Alma se mordit la lèvre inférieure et baissa la tête sur son chaudron, honteuse et craintive devant l'apparition menaçante de son mari.

— Buvez votre café et allez-vous-en, dit-il sur un ton bref. Tes frères et moi, nous ne sommes pas de votre côté, poursuivit-il en s'adressant cette fois à Hélène. Il n'y a pas de place dans cette maison pour les traîtres qui appuient les Américains. Partez.

Pierre et Jules se contentèrent de fixer le sol, piteux. Ils auraient sans doute préféré des retrouvailles plus chaleureuses avec leur sœur et leur oncle. Gilbert Caron les avait généreusement adoptés autrefois, et les deux jeunes hommes le considéraient aujourd'hui comme un second père. Pourtant, le sang des Crépeaux coulait dans leurs veines comme dans celles d'Hélène et de Jean-Louis. Ils étaient unis par les souvenirs d'enfance, les combats partagés, une vie difficile que la guerre leur avait apportée. Qu'était-il donc arrivé à tout ce monde pour que leurs liens familiaux, d'habitude si naturels et spontanés, soient rompus de la sorte ?

— J'aimerais parler un moment avec mes deux frères, si vous permettez.

Rose-Alma supplia Gilbert Caron du regard. Pierre et Jules aussi attendaient l'aval de leur oncle. On pouvait sentir toute la poigne, la force autoritaire que ce père d'adoption avait acquise au fil des ans sur les deux fils de Marc-Antoine. Une fois de plus, Hélène constata cet ordre social fondé sur la soumission et qu'elle détestait tant.

— Pas ici, en tout cas ! S'ils veulent te parler, ils le feront ailleurs que dans cette maison, répondit-il. Finissez votre café et allez rejoindre vos damnés Yankees qui attendent dehors.

Hélène n'avait pas donné le signal convenu qui aurait signifié au convoi militaire de reprendre la route. Pierre et Jules, attristés malgré tout par la scène, la regardèrent quitter sa chaise et se diriger vers la sortie avec une expression décomposée. Rose-Alma était au plus mal quand sa nièce passa devant elle. Elle avait gardé bêtement la boîte de bonbons dans la main, sans y toucher. Elle n'avait même pas eu l'occasion de dire merci. Elle avait surtout peine à soutenir le regard plein de reproches que lui lança son frère Jean-Louis en se levant à son tour.

Du haut de son poste de cocher, Clément vit revenir vers lui sa maîtresse, en proie à une grande déception. Il comprit ce qui s'était passé, car il s'était douté d'un mauvais accueil. En grimpant dans la carriole, Hélène avait les yeux remplis de colère. Clément ne lui posa pas de questions. On entendit les fouets claquer et le convoi s'éloigna de nouveau sur la route. Quand il en eut la possibilité, il fit faire demi-tour aux attelages.

— Pourquoi virer de bord ? demanda Hélène.

— Germain Dionne ne peut nous héberger tous. Nous sommes trop nombreux. Tu resteras à l'auberge, à deux pas du magasin général, répondit Clément, tout comme Jean-Louis et les soldats. L'armée paiera. Je reviendrai vous chercher pour l'assemblée de recrutement.

Hélène ne crut pas un mot de cette explication et comprit plutôt que sa présence n'était pas souhaitée dans la maison où vivaient Marie-Beuve et ses enfants. Elle s'enfonça un peu plus dans sa détresse et son silence. À l'auberge, sans un regard pour Clément, elle sauta de la carriole, son sac à dos sur l'épaule. Elle y entra, Jean-Louis et les trois militaires derrière elle. Le drapeau britannique battait toujours au vent, avec arrogance, au mât du commerce de Roy-Lussier. L'un des soldats américains se racla la gorge et cracha dans sa direction pour donner le change au propriétaire qui les avait insultés plus tôt.

16 mars 1776. La Pocatière.

On lui avait alloué une toute petite chambre au second étage. La fenêtre, au creux de sa lucarne, donnait sur le jardin fané, recouvert de neige. Ce potager, figé par l'hiver, n'avait rien pour lui remonter le moral. Sur une gracieuse desserte de bois, finement ouvragée, un pot de faïence avait été déposé dans un large bol par l'aubergiste, sous un miroir dépoli de forme ovale. Le décor était d'une sobriété de couvent : crucifix noir et rameau béni glissé derrière. Une aquarelle jaunie par le temps, représentant Rivière-Ouelle en automne, pendait également au mur.

Hélène se débarrassa de ses lourds vêtements de voyage. Elle ressentait un immense besoin de décoller la poisse et la tristesse dont la journée frustrante venait de la couvrir. Elle défit le cordon de son chemisier et versa de l'eau fraîche dans le grand plat de céramique émaillée. Elle prit la serviette qu'on avait déposée sur la table et la trempa dans le bol. Elle se nettoya le cou et la poitrine, puis, plongeant les deux mains directement dans le récipient, elle s'aspergea le visage à plusieurs reprises. Dans la lumière blafarde, elle pensa furtivement que son geste aurait inspiré Simeon.

Elle puisa l'eau plusieurs fois pour la porter à ses yeux et à ses joues. Le bruit du liquide retombant dans le bol lui donnait l'impression de se laver l'âme du souvenir de son ancien amant et de toutes les misères dont elle était affligée depuis son décès. Revoir ses frères l'avait ébranlée plus qu'elle ne l'avait anticipé. C'était la vie de Marc-Antoine, par eux, qui lui était remontée en mémoire.

Ses deux soleils faisaient partie de ce « monde d'avant » qui l'avait tant marquée. C'était pour eux aussi que Marc-Antoine était mort. L'avaient-ils oublié ?

Elle s'épongea, et des larmes lui montèrent aux yeux. On venait de la rejeter deux fois. Clément l'avait écartée de chez Germain Dionne. Ses frères, eux, avaient incliné la tête quand leur tuteur avait ordonné qu'elle sorte de leur maison, et ils n'avaient même pas eu le courage de protester. Hélène était persuadée que son père, où qu'il fût, devait être plus chagriné qu'elle encore devant leur comportement de dominés. Au lieu de renforcer les liens de la société francophone d'Amérique, la guerre était venue les rompre. Pierre et Jules rejetaient leur sœur parce qu'elle osait poursuivre le grand rêve de liberté pour lequel leur véritable père avait donné sa vie.

Elle tenta de sécher ses yeux rougis. Mais d'autres larmes coulèrent, et le jardin, dehors, lui sembla ondulant et liquide. Elle posa les paumes sur son ventre. Elle était seule avec son secret. Que pouvait-elle faire ? Plus rien n'allait. Il lui fallait prendre une décision. Ses nausées matinales avaient arrêté, mais elle sentait de plus en plus nettement qu'un enfant grandissait en elle. Clément ignorait tout encore ou n'en disait rien. Croirait-il que le bébé était de lui si elle lui en faisait l'aveu ? Serait-il heureux d'apprendre la nouvelle ? Elle en doutait fortement, mais l'espérait de tout son cœur.

Son combat et sa tâche de recruteur, elle le savait, prenaient toute la place dans sa vie. Puis il y avait Marie-Beuve et ses descendants légitimes. En ce moment, sans doute était-il en train de les combler de tendresse. La paternité pour Clément n'avait pas été une aventure très gratifiante. Apprendre qu'un autre enfant grandissait dans le ventre de sa maîtresse allait peut-être déclencher la rupture.

Hélène eut l'impression douloureuse que la vie l'emprisonnait peu à peu dans le silence et la peur. Était-ce cela que Muraco avait vu dans les entrailles de l'animal sacrifié ? Elle venait bien de tuer un homme en la personne de Peter Oak, tel qu'il l'avait prédit. L'oracle l'effrayait tant il évoquait de terribles éventualités : le supplice et l'accouchement dans la solitude et le désespoir. Toutes ces horreurs allaient-elles vraiment lui arriver ? Elle tenta de chasser l'image du vieil Indien. Que pouvait-elle contre son destin, de toute façon ?

Elle ouvrit son cahier de confidences comme elle en avait l'habitude quand elle devait réfléchir. Tout dire à Clément ou ne rien lui révéler ? Que devait-elle décider ? Si elle lui parlait de l'enfant, elle risquait de le voir fuir. Pourtant, il faudrait bien un jour qu'elle le fasse ; son état allait bientôt devenir apparent. L'autre solution était d'interrompre cette grossesse. Des idées noires virevoltaient dans sa tête. Son aventure avec Simeon n'était pas loin. Forcément, Clément douterait de sa paternité.

Elle posa la plume et recommença à pleurer. Elle mettrait au monde un enfant orphelin de père et sans pays. Au bout de sa route, seize ans après avoir entrepris sa quête, son existence lui semblait un échec sur toute la ligne. Elle avait perdu Marc-Antoine, son père adoré, elle n'avait plus de frères, elle n'avait pas davantage de père pour son enfant à venir. Et ces Américains sur lesquels elle avait tout misé ? Eux comptaient sur elle et sur Clément à présent pour pallier leur manque de renforts et leur piètre planification. Elle se laissa choir sur le lit, épuisée et défaite, les joues baignées par son chagrin et sa rage. Le sommeil tarda à venir.

⁊

Elle se réveilla aux lueurs roses de l'aube. Le jardin de frimas, dans la cour, étincelait sous les premiers éclats d'un soleil pâle. Des bruits de chevaux, dehors, l'avaient tirée de ses mauvais rêves. Du rez-de-chaussée, des voix masculines lui parvinrent, et l'odeur des œufs frits et du lard lui rappela qu'elle avait faim.

Elle s'aspergea le visage pour accélérer son retour difficile à la réalité et replaça ses cheveux devant le petit miroir. Ensuite, elle descendit et gagna la grande salle de l'auberge. Deux hommes étaient assis à l'une des tables, et l'hôtelier s'affairait à leur servir une boisson chaude. Elle fit un immense sourire quand elle reconnut Pierre et Jules.

— Oh, merci d'être venus ! dit-elle en courant les embrasser. Si vous saviez comme j'en suis heureuse !

Contrairement à la veille, les deux frères se levèrent et la serrèrent dans leurs bras avec entrain. Hélène s'assit avec empressement devant eux. Elle les regardait tour à tour, excitée, enthousiaste, comme si elle n'arrivait pas à se rassasier de les revoir.

— Vous avez tellement changé, dit-elle. Mais vous avez toujours la même âme. Je le vois dans vos yeux. Est-ce que vous repensez parfois à nos années d'enfance, à la pointe aux Trembles ?

— Bien sûr, répondit Pierre. Beaucoup de souvenirs tristes. Une période que j'aimerais mieux oublier.

— Tout ce dont je me souviens, ajouta Jules, c'est notre père qui s'est fait tuer bêtement dans un combat perdu d'avance contre les Britanniques. Puis le mauvais sort qui s'acharne sur nous depuis ce temps-là.

— Vous n'avez gardé en mémoire aucun des moments de bonheur que nous avons connus ensemble ? les interrogea Hélène, incrédule et attristée.

— Je me rappelle bien davantage Neuville comme le commencement de la fin pour toute notre famille, reprit Pierre.

Mais Jules enchaîna et, à son ton, Hélène réalisa que ses deux frères n'étaient pas venus la voir pour échanger des souvenirs. Ils avaient un motif précis et impérieux.

— Nous n'avons pas beaucoup de temps, Hélène, dit Jules. Il ne faut pas que Gilbert nous découvre en ta compagnie. Nous sommes venus te prévenir des dangers que tu cours.

— De quoi parles-tu ? demanda-t-elle, de plus en plus étonnée par la tournure de la conversation. De quoi devrais-je avoir peur ?

Jules interrogea Pierre des yeux, comme s'il cherchait son accord avant de parler. Celui-ci lui fit un signe d'approbation. Jules fixa alors Hélène droit dans ses pupilles grises.

— On ne devrait pas te le dire. Nous risquons d'être sévèrement punis si cela se sait. Mais tu es notre sœur après tout. Nous serions malheureux qu'il t'arrive quelque chose.

— C'est surtout pour notre mère que nous agissons ainsi, renchérit Pierre. Elle ne comprendrait pas qu'on ne t'ait pas prévenue.

— Voulez-vous bien me dire de quoi vous parlez à la fin? lança Hélène avec impatience.

Jules se tordit sur sa chaise et décida de cracher le morceau.

— Une attaque armée se prépare, Hélène. Ils vont écraser le camp américain de la pointe Lévy!

Hélène recula, avec un air totalement incrédule. Elle se demanda si elle devait prendre au sérieux cette déclaration complètement farfelue. Les soldats de Carleton étaient tous derrière les murs de la citadelle. Pour surprendre les Yankees sur la côte sud, il aurait fallu qu'ils traversent d'abord le fleuve. Elle ne pouvait croire ce que Jules lui dévoilait avec tant d'hésitation et de solennité.

— Nous ne pouvons pas t'en dire davantage, ajouta Pierre, mais voici un excellent conseil: passe du côté des royalistes ou disparais, si tu ne veux pas y laisser ta peau comme notre père.

— Mais, bon Dieu, vous ne comprenez rien! Notre père est mort en luttant contre les Britanniques. Là, pour la première fois, nous avons une chance réelle de réaliser son rêve, avec l'aide des Américains, et… vous me proposez d'abandonner son combat, la bataille pour laquelle il a versé son sang! Mais où avez-vous donc oublié votre cœur, vous deux?

— Il est décédé par manque de réalisme, dans une guerre perdue d'avance. Et toi, tu es en train de suivre sa trace. Veux-tu mourir, toi aussi? demanda Jules.

— Je ne sais pas comment vous pouvez vivre en reniant ainsi l'espoir des vôtres. Vos racines ont-elles si peu d'importance? Vous avez tout oublié des efforts fournis par nos ancêtres?

— C'est toi qui vis dans le passé, Hélène. Il faut tourner la page et parler des vraies choses, poursuivit Pierre. Sois réaliste, ouvre les yeux. Nous habitons à présent dans un pays anglais.

— Vivre en reniant qui je suis, sans liberté, accepter le commandement des étrangers, me laisser dominer, jamais ! hurla Hélène, pleine de révolte.

— La vie est un immense compromis, enchaîna Pierre avec un petit sourire amer qui se voulait sage et intelligent. Tu finiras bien par l'apprendre. De gré ou de force.

— Si vous attaquez le camp de la pointe Lévy, ce dont je doute fort, il faudra me tuer. M'entendez-vous ? Vous devrez charger vos fusils de sans-mémoire pour tirer sur votre propre sœur. Et vous avez tellement peu d'âme et de sentiment patriotique que je vous en crois capables !

— Nous n'avons rien contre les nôtres, enchaîna Jules. Aucune haine à ton égard non plus. Nous voulons que les Américains aillent régler leurs comptes avec les Anglais chez eux. C'est tout. Nous respectons notre serment d'allégeance au roi, ce qui n'est pas ton cas. Tu t'excommunies toi-même. Que fais-tu de ton salut, Hélène ?

C'en fut trop. Elle se leva pour partir, puis se ravisa et se rassit. Elle avait maintenant l'expression d'une mendiante.

— Je vous en prie, au nom de notre père Marc-Antoine, qui nous entend sûrement quelque part dans l'autre monde, au nom de tous ceux qui ont souffert la torture et la mort, venez vous battre avec moi. Vous ne pouvez pas avoir mis une croix sur la fierté et la liberté que nous a enseignées notre père. Je refuse de le croire.

Hélène les suppliait et marchait sur son amour-propre tant elle voulait faire fléchir ses frères. Elle avait le cœur en pleine dérive à l'idée qu'ils étaient désormais ses ennemis. Ni l'un ni l'autre ne semblaient vibrer à ses arguments. On les avait endormis, c'était évident.

Le curé Porlier avait dû ranimer leur crainte de l'enfer et les avait assujettis à leur serment envers le roi. Gilbert Caron avait achevé l'opération et en avait fait de bons petits soldats royalistes, bien fiers de leurs beaux costumes de milicien tout propres. Ils étaient persuadés, à cette heure, que les Britanniques dominaient la situation, que les Américains étaient très affaiblis, qu'aucun renfort ne leur parviendrait. Ils regardèrent Hélène avec de la pitié et de l'incompréhension. Pierre se leva le premier.

— Tant pis pour toi, nous t'aurons prévenue, dit-il. Nous avons couru d'énormes risques en venant ici.

Jules le suivit, et la porte se referma derrière eux. Hélène, bouleversée, les vit repartir à cheval. Les trois soldats américains et Jean-Louis Crépeaux débouchèrent à leur tour dans la salle commune, et l'aubergiste leur offrit le petit-déjeuner. Hélène se leva et sortit. Pour vomir.

CHAPITRE 17

18 mars 1776. Saint-Thomas de Montmagny.

Le rapport fait par Bailly de Messein avait mis le curé Porlier sur les dents. Au fond de lui-même, il ne savait plus qui croire : Féré, qui affirmait que cinquante hommes suffiraient à écraser le camp de la pointe Lévy, ou l'abbé itinérant, qui lui avait déclaré que les partisans rebelles étaient beaucoup plus nombreux qu'on ne pensait. Selon lui, Clément Gosselin et son groupe avaient réussi à retourner contre le roi la majorité des gens en armes sur toute la côte sud. Des « têtes fortes », il y en avait partout.

La résistance de la population à l'autorité de Carleton et à celle de l'Église était imprévue et surprenante. Selon Bailly de Messein, l'Église ne pouvait accepter ce peu d'emprise morale sur le peuple. Elle devait agir pour enrayer la débâcle avant qu'il soit trop tard. Porlier était persuadé qu'une victoire américaine signerait l'arrêt de mort de la religion catholique en Amérique. Et il était prêt à se battre en personne pour empêcher cela.

Tout le long du voyage vers Saint-Thomas, où il devait rejoindre le curé Maisonbasse et le seigneur Louis Liénard de Beaujeu, le meneur attendu de l'île aux Grues, le curé Porlier était en profond questionnement. Il n'avait même pas un regard pour le paysage magnifique qui défilait au rythme de la carriole glissante. La marée était basse, et les battures du fleuve révélaient leurs pierres et leurs îlets sur fond de côte nord et de Laurentides, aux montagnes arrondies et bleutées. Droit devant, de l'autre côté du fleuve, se dressait majestueusement le village de

Saint-François-Xavier-de-la-Petite-Rivière. Les premières corneilles étaient de retour et les outardes rasaient les flots, cherchant des plages d'algues pour se nourrir.

Tout à ses pensées, il se demanda comment son ministère ecclésiastique avait pu le conduire à prendre une part active à la contre-rébellion en soutenant les Britanniques. Avec Maisonbasse, voilà qu'il était le principal organisateur d'une opération militaire visant à vaincre le camp américain. Ce faisant, il menaçait la vie des Canadiens qui appuyaient les Yankees. Lui, un homme de Dieu ! Il prenait douloureusement conscience qu'il s'apprêtait à se battre contre ses propres ouailles parce qu'elles contestaient son point de vue moral et ses intérêts.

Prêcher le respect du serment d'allégeance au roi, comme l'avait réclamé Mgr Briand dans son mandement, c'était une chose. Organiser une vraie guerre contre les Américains et leurs partisans canadiens, c'était une tout autre histoire. Il y aurait des blessés et des morts. Pouvait-on tuer au nom de l'Église et de Dieu ? Participer aux conflits armés, était-ce l'affaire d'un prêtre ? Il ne savait plus trop quoi penser.

Mgr Briand avait été clair : si les Américains gagnaient, le protestantisme l'emporterait également. Le droit à la dîme serait remis en question. Toute la structure sociale qui les favorisait serait bouleversée. Le futur gouvernement serait américain et les seigneurs perdraient tout pouvoir et tout respect, eux aussi. En son for intérieur, il souhaita qu'un nombre suffisant de militaires choisissent de se battre sous le commandement de Liénard de Beaujeu. Son rôle se limiterait alors à encourager les forces fidèles au roi. Ce serait plus acceptable de son point de vue.

Quand la voiture à cheval entra dans le village de Saint-Thomas de Montmagny, il tenta de chasser de son esprit toutes ces questions qui refroidissaient son ardeur. Il descendit, laissant la carriole aux soins du cocher, et s'engagea dans le sentier de neige et de glace menant au presbytère. Un imposant groupe d'outardes traversa le ciel et emplit l'espace de cris sauvages.

— Enfin, vous voilà ! Ce n'est pas trop tôt. Ça brasse ici, dit Maisonbasse. Nous avons des tas de décisions à prendre. Entrez vite.

— J'ai envoyé des émissaires dans presque tous les villages de la côte pour annoncer la venue imminente du seigneur Louis Liénard de Beaujeu de Villemonde, répondit Porlier en donnant son manteau à la servante d'office.

— Il faudrait surtout informer nos gens que Beaujeu accordera l'amnistie à tous ceux qui se joindront à lui, enchaîna Maisonbasse. Il a beaucoup insisté sur ce fait dans sa dernière missive.

Dans l'après-midi, le sauveur de l'île aux Grues arriva enfin. C'était un homme de soixante ans, aux tempes grises et à l'allure martiale, qui prenait plaisir à arborer le ruban rouge de l'ordre des chevaliers de Saint-Louis dont il avait été décoré jadis. Il avait avec lui une vingtaine de miliciens royalistes. On se mit à faire le décompte des alliés du roi. Il y en avait quelques-uns dans chaque paroisse de la région : quatre de Rivière-Ouelle et une dizaine de Sainte-Anne-de-la-Pocatière. De Saint-Roch venait le plus gros contingent : une douzaine d'hommes prêts à se battre. Saint-Jean-Port-Joli, L'Islet et Cap-Saint-Ignace en avaient rallié quelques-uns également.

Selon Beaujeu, ce n'était pas suffisant. Il fallait charger les plus convaincus de parcourir une fois de plus tous les lieux importants pour en recruter davantage et surtout trouver des armes, se procurer des munitions. Voir des militaires fidèles au roi et prêts à combattre pour la bonne cause allait, selon lui, faire boule de neige auprès des habitants. La rencontre prit fin sur une note optimiste. Beaujeu promit à chacun que la rébellion serait étouffée promptement. On trinqua au vin de messe en se jurant de tout tenter pour constituer une armée de royalistes suffisante pour écraser le camp de la pointe Lévy.

Effectivement, quelques jours plus tard, on pouvait compter sur cent quinze miliciens aguerris, adultes et garçons. Les prévisions de Beaujeu quant à l'effet d'entraînement s'étaient avérées. Mais tout ce brouhaha et toute cette cabale avaient alerté les nombreux partisans des Américains dans le bourg de Saint-Thomas. L'un d'eux, Joseph Lamonde, arriva au camp de la pointe Lévy en fin de journée. Surexcité par le message qu'il portait, il annonça l'attaque imminente.

— Je le sais de source sûre ! déclara-t-il au général Wooster. Un groupe d'hommes fidèles au roi George III va foncer sur nous en suivant un parcours secret à l'intérieur des terres. Les hommes de Beaujeu ont fait naître la division partout dans les villages.

— Que veux-tu dire ? demanda le général.

— Les voisins s'invectivent et en viennent aux coups. Des rixes éclatent dans les auberges. On nage en pleine chicane de famille, ajouta Lamonde. Plusieurs, par contre, restent dans leurs demeures pour éviter de prendre parti.

— Cela n'annonce rien de bon, en effet, conclut Wooster. Ont-ils une stratégie d'attaque ?

— Au magasin général, j'ai surpris une conversation et j'ai cru comprendre qu'un point de ralliement a été fixé : la maison du coseigneur Michel Blais de Saint-Pierre-de-la-Rivière-du-Sud. C'est un fervent partisan du roi d'Angleterre. Un peu moins de huit milles séparent ce point de rencontre de Saint-Thomas de Montmagny. De là, on foncerait sur le camp de la pointe Lévy, conclut Lamonde.

Au quartier général de l'armée américaine, Wooster réunit ses principaux collaborateurs. Clément fut étonné de voir qu'Hélène manquait à l'appel. Depuis leur retour de Sainte-Anne-de-La-Pocatière, il avait noté qu'elle était devenue sombre et taciturne. Il s'était empressé de mettre son humeur sur la contrariété d'avoir dû coucher à l'auberge et d'avoir échoué à rallier ses frères. Il accepta sur-le-champ l'ordre de Wooster d'aller lever rapidement une centaine de volontaires pour se porter à la rencontre du nouveau groupe de royalistes qui menaçait de les attaquer.

Puis il sortit dans l'air frais et fonça en direction de Berthier-sur-Mer, inquiet. Il n'imaginait pas d'autre endroit où Hélène aurait pu se réfugier. Jean-Louis lui apprit qu'il ne l'avait pas vue lui non plus depuis plusieurs jours. La cabane à Gabourie était vide, et la cheminée, sans feu. Il chevaucha alors jusqu'au petit chalet sur le cap qui avait abrité leurs derniers ébats amoureux. À la vue d'une paire de raquettes plantées dans la neige devant l'entrée, Clément sut qu'il ne s'était pas trompé.

Il poussa la porte et découvrit Hélène, recroquevillée sur sa couche dans la pénombre. Dans le poêle, il ne restait que des braises et il faisait presque aussi froid qu'à l'extérieur. Elle ne bougea pas quand il s'approcha de la paillasse.

— Qu'est-ce qui t'arrive, Hélène ?

Elle ne répondit pas et, quand elle se tourna vers lui avec effort, elle avait les yeux pleins de larmes. Il la prit dans ses bras et la serra contre lui.

— Parle, Hélène. Qu'est-ce qui se passe ?

— Pierre et Jules vont être parmi eux. Je ne peux pas me battre contre mes propres frères, balbutia-t-elle.

Clément comprit d'un coup toute la profondeur de son mal. Plusieurs de ses hommes avaient affiché la même hésitation à l'idée d'affronter qui un ami, qui un parent présent dans les rangs ennemis. Tant que les Canadiens s'étaient contentés d'être neutres, on avait pu s'accommoder de la division du peuple. Mais là, avec l'attaque que préparait Beaujeu, ce clivage de la population devenait scandaleux : des frères allaient s'en prendre à des frères.

Clément ne trouva pas les mots. Aucune réponse pertinente ne lui vint à l'esprit. Il voyait bien qu'Hélène vivait une tragédie. Il se contenta de la tenir contre lui, envahi lui-même d'un sentiment d'absurdité très fort devant l'éventualité d'un combat de libération qui se changeait en conflit armé entre Canadiens.

Hélène aurait bien voulu lui dire qu'il y avait autre chose. Elle aurait aimé pouvoir lui parler de l'enfant qui grandissait en elle et qui s'ajoutait au drame qu'était sa vie. En chemin, au retour de La Pocatière, Clément avait répondu un peu évasivement à ses questions : Marie-Beuve allait bien, de mieux en mieux, avait-il expliqué. Elle souhaitait que Clément visite sa famille plus souvent.

Dès lors, les craintes d'Hélène, que Clément reprenne une relation normale avec son épouse légitime et ses enfants, se multiplièrent. Lui avouer qu'elle était enceinte devenait encore plus difficile, car il risquait de ne pas croire que l'enfant était de lui et elle ne voulait pas le faire fuir. La boisson qu'elle avait réclamée la veille à une Indienne était là, posée sur la table, intacte. La présence de ce poison disait à elle seule la profondeur de sa détresse, annonçait une décision à prendre. Ses amis chasseurs lui avaient parlé de son pouvoir pour interrompre les grossesses. Les Indiennes, dont les mœurs sexuelles étaient souvent très libres, l'utilisaient.

En d'autres circonstances, elle aurait tant aimé avoir cet enfant. Par contre, mettre un bébé au monde en l'absence d'un père n'était tout simplement pas possible dans la société dont elle faisait partie. Devenir mère sans être mariée la placerait à coup sûr au ban de la collectivité, et sa progéniture serait stigmatisée pour la vie. Mais au moment d'avaler le contenu de la fiole, Hélène avait hésité et reporté à plus tard sa décision. Elle savait toutefois que le temps jouait contre elle ; bientôt, il serait trop tard pour interrompre sa grossesse. Et son état avancé serait visible.

— Il nous faudra beaucoup de forces, Hélène, déclara Clément après un long silence. Le clergé et les seigneurs tiennent tellement à protéger leurs maudits privilèges qu'ils sont en train de nous dresser les uns contre les autres. Ils nous placent devant un choix douloureux : ou bien nous leur résistons, ce qui équivaut à mettre en joue certains des nôtres en plus des Britanniques, ou bien nous abandonnons notre combat pour toujours. Nous n'aurons pas à tirer sur nos gens alors et tous survivront, mais nous aurons la mort dans l'âme, la honte des soumis au fond du cœur, sur une terre occupée. Penses-tu que c'est cela qu'aurait souhaité ton père ? Crois-tu que c'est ce genre de pays que nous devons laisser à nos descendants ?

— Enfin, tu as des enfants, toi, releva Hélène, soudain piquée au vif.

Le sujet qu'elle cherchait à aborder venait de se glisser dans la conversation sans qu'elle l'ait voulu.

— Je ne parle pas uniquement des miens, j'évoque les descendants de tous les Canadiens. Nous devons leur offrir une patrie bien à eux. Nous devons leur redonner cette nouvelle terre française qu'ils auront cent fois méritée.

— Accepterais-tu d'avoir un jour un enfant de moi, Clément ? demanda-t-elle abruptement, avec un léger tremblement dans la voix.

Cela lui avait échappé.

— Je t'aime, Hélène. Mais je ne serais pas heureux de mettre au monde d'autres enfants dans un pays qui ne m'appartient pas. Après la victoire, je me reposerai la question.

Elle le regarda longtemps. Sa réponse, quoique négative, avait malgré tout ouvert un espace d'espoir en elle. Une clairière étroite, bien sûr, mais réelle. « Après la victoire », avait-il dit. Il fallait donc qu'ils gagnent la guerre à tout prix. Elle se devait de vaincre, pour Marc-Antoine et pour elle-même, mais aussi pour donner un père à l'enfant qu'elle portait. Elle respira et se souvint des mots sacrés : « Jusqu'à mourir debout s'il le faut. »

Elle sourit et embrassa Clément avec fougue. Avec ses mots, il venait de la rattacher à la vie.

— Nous allons écraser tous ceux qui s'opposent à ce grand rêve, mon amour. Qu'ils soient curés ou frères de sang. Nous ferons fuir les Britanniques et nous rebâtirons ici un monde libre. Car je veux des enfants de toi, Clément !

Il la regarda, un peu étonné, mais ne répondit pas. Depuis un moment, il avait des doutes sur son état. Mais elle l'attrapa par ses vêtements et le tira sur la paillasse, lui offrant son corps nu et magnifique. Son ventre, bien qu'un peu plus rond, ne trahissait pas encore clairement sa grossesse. Ce revirement soudain d'humeur intrigua Clément, mais il ne se questionna pas longtemps, trop soulagé de constater qu'elle avait retrouvé son envie de vivre et de se battre.

Il visita son corps de reine d'une bouche enflammée, enferma ses seins lourds et roses dans ses deux mains fébriles et la serra dans ses bras avec une ardeur particulière. Il eut l'impression qu'elle faisait l'amour comme si c'était la dernière fois, elle lui donna tout ce dont il pouvait rêver dans ses désirs les plus secrets. Quand il fut au bord de l'éclatement, elle le prit sous elle. Son bassin ondula à une vitesse irrésistible et il explosa de plaisir dans son ventre.

Quand leurs sens furent au repos, elle dit :

— Je t'aime, mon amour ! Tu es le seul pays que j'ai. Tout l'amour qui m'habite vient de toi.

— Je t'adore, Hélène. C'est pour toi et pour notre rêve que je veux en finir avec cette guerre…

— Dans ce cas, il nous faut agir vite ! Ceux qui comprennent les enjeux doivent se battre au nom de tous ceux qui ont abandonné par ignorance et par fatigue, conclut-elle. Moi, je dois honorer le rêve de mon père, défendre qui je suis et, ce faisant, risquer peut-être de tuer mes frères. Je n'aurais jamais voulu me retrouver devant un tel dilemme. Ceux qui ne savent pas ont une excuse. Mais moi, je ne pourrai plus jamais me regarder en face si j'abandonnais maintenant.

— Je ne crois pas que nous aurons à tuer les nôtres pour l'emporter, répondit Clément. Ils ne sont pas assez nombreux contre nous. Ils ne sont pas fous non plus. Ils vont comprendre et reculer. Peut-être se rallier à notre cause. Plus tard, ils nous féliciteront de leur avoir tenu tête !

Ils reprirent leurs caresses comme pour panser, dans la fusion de leurs corps, la déchirure douloureuse que vivaient les leurs. Clément retrouva sa flamme sous les mains habiles d'Hélène. Elle le fit gémir de plaisir jusqu'à ce qu'il éclate de nouveau en elle. Leurs deux êtres restèrent longtemps soudés, unis par l'amour, en ce pays qui n'en était pas un, couvert de gel et de neige, plongé dans la tragédie et fonçant tout droit vers une guerre civile.

CHAPITRE 18

Fin mars 1776. Saint-Pierre-de-la-Rivière-du-Sud.

Quand Michel Blais mit le nez dehors, en ce matin du 25 mars 1776, c'était pour scruter la route et voir venir les hommes de Beaujeu. Il fut surpris d'entendre un vacarme puissant monter de la rivière du Sud. La rupture des glaces avait commencé après une semaine de redoux printanier. Il souhaita qu'aucun embâcle ne se forme, car sa maison de pierre était construite dans une sorte de demi-cuvette, à deux cents pieds à peine du cours d'eau.

Au bout de la route, il aperçut le convoi d'hommes en armes. Beaujeu, tel qu'il l'avait annoncé la veille, avait lancé son avant-garde. Blais rentra en courant, puis revint avec un fanion britannique qu'il hissa au mât pour signifier aux arrivants qu'il les attendait. Le drapeau claqua au vent, exhibant ses croix superposées, celle de saint Georges et celle de saint André. Le porte-fanion du contingent royaliste agita le sien pour montrer qu'il avait compris. Il marchait à la tête d'une cinquantaine de combattants. On avait choisi la maison de Michel Blais, car c'était l'unique résidence de pierre des environs. En cas de canonnade de la part des Américains, elle pourrait servir de forteresse.

Michel Blais ne se doutait pas qu'au même moment quatre-vingts militaires américains et cent cinquante partisans canadiens, des jeunes comme des vieux, venant de la pointe Lévy et en route depuis l'aube, avançaient résolument vers eux. Ils transportaient quelques pièces d'artillerie et avaient quitté le camp avant le lever du jour. Au départ, ils étaient une centaine tout au plus. Mais, chemin faisant, Clément et Hélène avaient rappelé au passage tous les partisans américains que les discours des « reines de Hongrie » avaient convaincus au cours des dernières semaines. Finalement, un long convoi de plus de cent traîneaux, tirés par des chevaux, s'approchait sur le chemin de neige fondante, menaçant.

Quand ils arrivèrent sur les hauteurs surplombant la maison de Blais, le major Dubois, chargé de l'opération, arrêta d'un geste l'armée yankee. Tous mirent pied à terre. On y était. L'excitation s'empara de chacun. Sur leur droite, le profil de la chaîne de montagnes des Appalaches se dessinait et, à leurs pieds, la rivière du Sud serpentait, charriant les glaces de la débâcle avec un grondement sourd. Directement devant eux, le cours d'eau obliquait vers le nord, juste là où la flèche du clocher de la petite église paroissiale se dressait dans un ciel bleu acier. À l'ouest et au nord de la maison, les coteaux s'élevaient d'environ une centaine de pieds et formaient une sorte de bassin, au fond duquel la résidence de Michel Blais paraissait coincée dans un écrin naturel.

Le major demanda à Hélène de reconnaître les lieux à l'aide de sa lunette d'approche. Angoissée, elle saisit son instrument. Ses mains tremblaient de froid, mais de peur également, car elle était profondément malheureuse de devoir livrer bataille aux siens. Elle craignait surtout que ses deux frères et son oncle se trouvent aux premiers rangs des ennemis. Si elle avait décidé de poursuivre son combat, c'était paradoxalement parce qu'elle avait choisi la vie. Elle percevait l'urgence de s'offrir un monde libre, à elle-même et à tous les siens, mais aussi à son enfant, pour qu'il y naisse et que son père l'y accueille.

Pendant de longs moments, elle inspecta la résidence en pierres des champs gris et rose. Rien ne bougeait. Elle en ressentit un soulagement coupable. Au fond d'elle-même, elle souhaitait que ce combat n'ait pas lieu. Elle balaya du regard des cordes de bois dans la cour, puis examina chaque fenêtre du bâtiment en constatant que de la fumée montait de la cheminée. La maison était donc occupée. Soudain, elle vit plusieurs miliciens surgir de derrière l'édifice.

— Ils sont là ! Je les vois, ils se cachent derrière la maison !
cria-t-elle, le ventre comme dans un étau. Ils sont armés.

Le major Dubois ordonna aussitôt qu'on prépare les pièces
d'artillerie. Tous les autres soldats devaient attendre son commandement avant de tirer. Du haut des coteaux qui entouraient
l'habitation de pierre, plus de deux cents Américains et partisans
canadiens tenaient l'ennemi en souricière, impatients de faire feu.
Le premier coup de canon fut assourdissant, déchirant de façon
presque obscène le silence des lieux. Le boulet se perdit loin derrière l'objectif, et l'obusier dut rajuster son tir. Hélène, malgré le
tremblement incontrôlable de ses mains, arriva à voir les soldats
royalistes courir dans tous les sens et s'abriter derrière les cordes
de bois. Certains faisaient sauter les carreaux des fenêtres et
mettaient leurs adversaires en joue.

— Ils vont tirer sur nous ! hurla-t-elle, paniquée.

Le deuxième boulet frappa la cible en faisant jaillir les pierres
autour d'une lucarne du second étage. Elle vit le corps d'un
homme, plié en deux, suspendu à la fenêtre comme un pantin
désarticulé, le bras ballant. Elle aperçut des dizaines de combattants armés qui sortaient de la maison au pas de course et posaient
le genou à terre derrière des boucliers improvisés, prêts à tirer.

Soudain, le souffle lui manqua et elle se figea, la bouche
ouverte de surprise. Elle venait d'encercler dans sa lunette la
chevelure blonde de son frère Pierre qui courait le long du bâtiment. Sa main tremblait tellement qu'elle eut du mal à reconnaître
Jules à côté de lui.

— *Fire !* hurla le major Dubois.

Le bruit fut assourdissant. Plus de deux cents fusils à bourre
firent exploser à l'unisson leurs charges de poudre. Hélène vit
deux hommes grimacer, puis s'affaler, raides morts. Terrifiée,
elle pointa le télescope à l'endroit où elle avait repéré Pierre et
Jules. Elle réussit à les isoler enfin dans l'objectif qu'elle ne parvenait plus à immobiliser. Jules aidait Pierre à se réfugier dans
la bâtisse. Ce dernier avait visiblement été blessé, car l'autre le
soutenait dans sa marche.

Hélène se laissa choir à genoux. Le pire était arrivé. Le major Dubois donna l'ordre de recharger. Quand ses hommes furent prêts à faire feu de nouveau, il les envoya sur l'adversaire. Deux cents militaires se mirent à dévaler la côte. Désemparée, Hélène vit que l'ennemi abandonnait devant la force du nombre.

— Ils se rendent, ils se replient ! cria-t-elle aussi fort qu'elle put. Ne tirez plus !

On ne l'entendit pas. Le bruit des bottes, les sonneries d'assaut et les cliquetis des armes étaient beaucoup plus puissants que sa frêle voix de femme. Elle se redressa et courut en direction de ses frères. Elle vit les royalistes qui déposaient leurs fusils sur le sol et levaient les mains au ciel en signe de reddition. Pierre et Jules firent de même, car ils n'avaient pas eu le temps d'atteindre l'entrée de la chaumière pour s'y mettre à l'abri.

L'abbé Bailly de Messein, la soutane remontée sur les hanches, touché au bras gauche, agita le droit très haut pour signifier aux Américains et à leurs partisans de ne plus tirer. Il avait son crucifix à bout de bras. Le combat n'avait pas duré plus de trois minutes. L'avantage des canons et du nombre avait rapidement fait pencher la victoire du côté des Américains : les Yankees dépassaient de quatre fois en hommes le petit groupe de contre-rebelles de Louis Liénard de Beaujeu. Féré, le traître, qui avait prétendu que cinquante braves suffiraient pour mater l'armée américaine, s'était nettement mépris. Beaujeu allait regretter de ne pas avoir envoyé d'un coup tous ses hommes. Son avant-garde avait failli à la tâche.

— Cessez le feu ! Ils abandonnent ! ordonna Hélène à Clément et au major Dubois.

Elle alla se placer, tel un bouclier, devant ses deux frères à genoux. Elle n'en avait que pour Pierre, dont la blessure lui semblait très grave.

— Gardez-les en joue, mais ne tirez plus ! hurla Clément à l'intention des recrues.

Tous les hommes étaient essoufflés par la course, mais satisfaits de la tournure du combat. Pierre Ayotte et Germain

Dionne relayèrent les ordres à l'intention des plus éloignés. Les rebelles entourèrent les vaincus qui avaient tous rendu les armes et maintenaient les bras en l'air. Clément compta trois morts, dont Joseph et François Morin de Saint-Roch. Le fils de Janot pendait toujours dans une attitude grotesque, accroché par la taille au rebord de la lucarne. Il y avait en tout une dizaine de blessés dont Pierre et l'abbé Bailly de Messein qui avait participé à l'échange, au plus grand étonnement de tous.

La présence d'un représentant de l'Église était un véritable scandale pour plusieurs. Bailly de Messein avait retroussé sa soutane et l'avait attachée à sa ceinture : ses craintes de voir l'Église perdre ses privilèges l'avaient conduit à prendre les armes contre ses ouailles, lui, un homme de Dieu, prêchant la parole d'amour du Christ ! Mais il avait surtout été, avec le curé Porlier de La Pocatière, l'un des responsables de cette guerre civile.

On en vint aux règlements de comptes. L'émotion et la peur se transformèrent en ressentiment chez plusieurs alliés des Américains. Jean Isabelle père, de Saint-Thomas, fonça droit vers son fils et le gifla sans ménagement. Son aîné avait pris le parti de la milice de Carleton contre sa propre volonté. Le regard d'Hélène croisa un instant ceux de Pierre et Jules. Ils ne purent soutenir ses yeux chagrins et fixèrent le sol dans une position de honteuse soumission. Germain Dionne traita les vaincus de traîtres et de lâches, leur promettant une punition qu'ils n'oublieraient pas de sitôt. Il alla jusqu'à bousculer Bailly de Messein, qui grimaça de douleur en protégeant son bras ensanglanté. Hélène vit les yeux de son frère Pierre se voiler de colère malgré son expression de souffrance.

Elle se sentit habitée de remords malgré la victoire. Le grand rêve de son père Marc-Antoine, dont elle avait pris courageusement le relais, était de libérer l'Amérique française du joug des Britanniques. Et ce noble projet s'était transformé en véritable cauchemar car, au nom de la liberté, elle venait de combattre ses propres frères, ses parents, ses amis. Des pères avaient tiré sur leurs fils, des fils, sur leurs pères. Des amis s'étaient traités en purs ennemis.

Les Américains, eux, remportaient leur première victoire. Hélène aurait dû se réjouir. Au contraire ! Elle en avait mal à l'âme de voir ces hommes humiliés, vaincus une fois de plus, mais par leurs anciens camarades et leur famille cette fois. La faute de cette ignoble chicane de famille revenait aux gens d'Église, représentés par l'abbé Bailly de Messein. Sans qu'elle sache d'où lui venait cette impulsion soudaine, Hélène eut tout à coup l'envie folle de gifler le prêtre soldat. Elle s'en approcha et leva la main pour le frapper. Un autre bras, plus fort que le sien, l'arrêta solidement. C'était celui de Pierre Ayotte.

— Je conviens que cet homme mérite cent fois cette insulte, dit-il. Mais rosser ou simplement garder comme prisonnier un pasteur est le dernier geste que nous devrions faire. Nous allons salir notre cause et celle des Américains si nous molestons ou détenons un religieux.

— Je suggère que nous l'escortions jusqu'au presbytère de Saint-Pierre, renchérit Germain Dionne. Le curé en prendra soin et Duberger, le médecin du village, le traitera.

Clément s'approcha d'Hélène, qui n'arrivait plus à contenir sa colère et qui tressaillait de rage. Il la serra dans ses bras pendant qu'elle se calmait. Le major Dubois donna l'ordre de conduire tous les autres prisonniers au camp de la pointe Lévy. Quand Pierre et Jules passèrent devant elle, ils gardèrent la tête basse, les yeux fixés sur le sol. Leur honte vint amplifier la sienne et elle ressentit en cet instant toute la déchirure de son âme. Si elle avait connu les charmants jeux de guerre de ses deux frères dans les champs de Neuville, là, on ne s'amusait plus du tout. Comment son goût si fort de retrouver un jour sa « vie d'avant », dont ses frères avaient fait partie, avait-il pu la conduire à ce moment de douleur qui poussait son cœur au bord de l'éclatement ?

Elle regarda un soldat américain mettre les prisonniers en rang à coups de crosse. D'autres chargeaient les canons sur les traîneaux, déjà prêts à reprendre la route. Hélène vit aussi l'enseigne Baptiste Pelletier de La Pocatière cogner violemment dans le dos de son frère Pierre qui ne devait pas marcher assez vite. Elle lui hurla de se contenir. La vengeance des vainqueurs s'assouvissait dans toute sa laideur. Jules tentait de soutenir son frère blessé du mieux qu'il le pouvait. Le spectacle était désolant : un habitant du village frappait ses propres concitoyens sans retenue. La désunion tragique d'une société s'étalait au regard de tous. Hélène étouffa ses larmes, la tête enfouie dans l'épaule de Clément. C'en fut trop pour elle. Soudain, elle s'échappa des bras de son amant et courut vers Pierre. Doucement, elle l'obligea à lui montrer sa blessure au ventre.

— Je vais te soigner, dit-elle.

Il ne répondit pas, la regarda droit dans les yeux et lui cracha au visage.

CHAPITRE 19

Printemps 1776. Berthier-sur-Mer.

Un mois avait passé depuis la bataille de la maison de Blais. Des semaines de règlements de comptes et de bilans. Hélène avait réintégré la cabane à Gabourie. Pendant un temps, elle ne voulut plus voir personne. Quelque chose s'était brisé en elle, la détresse s'était infiltrée dans son âme comme une coulée de fonte grise, morne et lourde, depuis que son frère lui avait craché au visage. Le geste avait sali l'image idyllique qu'elle gardait de son enfance et brouillé le sens de son engagement. Son père aurait été atterré de voir sa petite famille écartelée de la sorte. Pour la première fois de sa vie, elle remettait en question son combat. Peut-être, après tout, s'était-elle trompée en espérant l'indépendance pour l'Amérique française.

La première semaine qui avait suivi la bataille, Hélène s'était préoccupée du sort des prisonniers. Comme pour se déculpabiliser, elle avait surtout empêché qu'on les maltraite. Elle avait insisté pour qu'on les alimente convenablement. Elle avait cherché un chirurgien dans toute la pointe Lévy pour soigner la mauvaise blessure de son frère – dont le rejet lui avait porté un coup dur –, faute de pouvoir le faire elle-même. C'est le médecin barbier de Lauzon qui avait accepté finalement d'examiner les éclopés. Sans son travail, plusieurs soldats auraient pu mourir de leurs blessures, car les plaies profondes s'infectaient rapidement.

Clément était parti en compagnie de David Wooster, Germain Dionne et Pierre Ayotte pour s'assurer que la contre-rébellion n'allait pas renaître ailleurs sur la côte. Wooster voulait confirmer que la tentative des royalistes n'était pas le résultat d'un soulèvement spontané du peuple, et Arnold avait ordonné l'enquête pour mieux évaluer ses appuis, vérifier que, sans Beaujeu, les prêtres et les seigneurs, la bataille n'aurait jamais eu lieu. Une résistance naturelle des Canadiens à l'entreprise américaine aurait sonné le glas de la campagne yankee.

Arnold avait, d'autre part, suivi la recommandation de Clément et demandé des secours politiques et religieux au Congrès. Benjamin Franklin venait d'arriver à Montréal et cherchait à gagner l'adhésion des gens à la grande cause de la démocratie. Le père Carroll, un jésuite, l'accompagnait et avait pour mission de tenter de convaincre le clergé canadien de la sincérité des promesses américaines quant à la liberté du culte. On implorait les Canadiens de cesser d'entrer dans le jeu des Britanniques, défavorable à leurs ouailles. Hélène trouvait cependant que cette démarche diplomatique de dernier recours n'était pas de bon augure, qu'elle évoquait le désespoir et la défaite. Depuis quelque temps, les Américains, Wooster surtout, avaient durci le ton avec les Canadiens, parce qu'ils perdaient peu à peu le contrôle sur eux. Les bévues de ce général malhabile avaient fait retourner contre lui les marchands anglais de Montréal, qui l'avaient pourtant appuyé jusque-là. Encore une fois, Hélène sentait venir de partout la catastrophe.

Toutefois, on disait que la plupart des royalistes étaient rentrés dans leurs terres et que Louis Liénard de Beaujeu avait aussi réintégré l'île aux Grues. Porlier et Maisonbasse avaient été bousculés par leurs propres paroissiens : ceux qui avaient respecté leur serment d'honneur envers le roi leur en voulaient de les avoir conduits à la défaite. On reprochait aux gens d'Église de s'être mêlés d'un conflit qui ne les regardait pas et d'avoir mal conseillé leurs fidèles. Ils avaient tout simplement outrepassé leur champ de compétence.

Les recrues et les soldats américains avaient menacé tous les royalistes et fait un mauvais parti à certains d'entre eux, incendiant leurs bâtiments et saisissant armes et vivres. Les prisonniers, capturés à la maison de Blais, avaient été conduits à Montréal en passant par les Trois Rivières, deux villes sous administration américaine depuis quelques mois déjà, et qui constituaient des lieux beaucoup plus sécuritaires pour la garde des otages.

Les glaces s'étaient brisées définitivement sur le fleuve et les traversées avaient repris d'une rive à l'autre, facilitant ce transfert. La grande débâcle du Saint-Laurent ouvrait en même temps l'avenir à beaucoup d'incertitudes. On disait que les renforts demandés par Arnold étaient insuffisants. Par ailleurs, le dégel de la voie maritime rendait possible l'arrivée de nouveaux bateaux britanniques au secours de Carleton, toujours captif derrière les murs de la citadelle.

Le bruit courait que la France allait peut-être appuyer les Yankees et venir les aider à chasser les Anglais. Mais Hélène, pessimiste, avait de la difficulté à prêter foi à cette rumeur. Au fond, comme son père autrefois, elle ne souhaitait pas remettre à la France la gouverne de son coin d'Amérique. Elle voulait la liberté et la représentation pour les siens. Elle savait désormais que la démocratie était l'avenir. Mais elle doutait de voir un jour son peuple en jouir.

Clément n'était pas revenu de son voyage à La Pocatière. Hélène n'avait plus de nouvelles de lui depuis qu'il l'avait visitée et en était triste et inquiète. Rien n'allait plus pour elle. Lors de son dernier échange avec Clément, elle lui avait dit qu'elle souhaitait un jour avoir une famille de lui. Mais entretenir cette possibilité, pour son amant, présupposait la victoire finale. Il avait répondu qu'il lui fallait un pays avant d'envisager d'avoir d'autres enfants. On en était encore loin.

Lui avait-elle fait peur ? L'absence de signes lui nouait le ventre. Anxieuse, privée d'espoir, elle dormait beaucoup. Avec un projet de liberté qui n'aboutissait pas et ce bébé qui grossissait dans ses entrailles, elle paniquait. Ses rondeurs allaient dans peu de temps trahir son état. Elle ne pouvait plus attendre de prendre une décision. En pleine tourmente, elle appelait des réponses qui ne venaient pas. Elle avait un pressant besoin de savoir ce qui l'attendait et tournait fébrilement entre ses doigts son éternelle lunette d'approche.

N'en pouvant plus de vivre dans l'inconnu, elle décida de rendre une nouvelle visite à Muraco. Pour elle, ce vieux sage avait tout d'un sorcier efficace et d'un devin redoutable, car, jusqu'ici, toutes ses prévisions s'étaient avérées. La guerre fratricide qu'il avait annoncée venait de l'atteindre au plus profond d'elle-même. Mais c'était ce qu'il avait vu de son accouchement qui la préoccupait. Hélène voulait et devait en savoir plus sur le sens de cette vision avant de commettre un acte irrémédiable.

Elle s'engagea sur le chemin en forêt et suivit le sentier qu'elle connaissait si bien, en direction du village indien où vivaient la plupart de ses amis trappeurs. Une séquence de bouleaux blancs qu'elle avait marqués jadis lui rappela la route jusqu'au tipi de Muraco. Elle eut l'impression pourtant de s'être trompée de sentier, car elle ne trouva pas l'abri du vieux chaman. Avait-il levé le camp ? D'autres amis du village lui apprirent que le guérisseur était mort durant l'hiver. Elle en était donc quitte pour vivre de ses dernières paroles. Des mots terribles, désormais figés dans l'éternité et qui l'emplissaient de frayeur.

À partir de ce jour, Hélène remit toute sa vie en question. Quelles étaient ses chances de réussir sa mission sacrée à présent ? Elle estimait que près de la moitié de la population canadienne avait ouvertement soutenu les Américains. Un autre fort pourcentage était resté neutre. La majorité n'avait donc pas été contre. L'épuisement découlant d'une guerre perdue et démoralisante des années auparavant expliquait le manque d'engagement des Canadiens. Le comportement de l'Église également.

Mais il y avait autre chose, elle en était convaincue. Les gens, pensait-elle, avaient agi par « gros bon sens ». Leur abstention était toute calculée. Ils attendaient de voir si les Américains avaient des chances de l'emporter. La preuve en était que, bien que neutres, ils acceptaient souvent de les aider en fournissant des vivres et d'autres denrées. Cependant, leur pragmatisme leur avait fait reconnaître que les Yankees étaient arrivés en trop petit nombre et mal équipés pour un combat à livrer en plein hiver.

Les Bostonnais avaient débouché à Sartigan nus comme des vers, crottés, aux portes de la mort. Montgomery, lui, avait perdu beaucoup trop de temps à Saint-Jean et à Chambly. Ceux qui se disaient indécis savaient depuis toujours que le froid dans ce coin de pays était le principal ennemi du soldat. Plusieurs avaient estimé très faibles, dès le départ, les perspectives de victoire des Américains et n'avaient pas du tout envie de participer à une nouvelle défaite coûteuse. C'était la raison de leur manque de soutien !

Si Montgomery n'avait pas été refoulé si longtemps au fort de Saint-Jean, sa rencontre avec les troupes d'Arnold aurait eu lieu bien plus tôt en saison, augmentant de beaucoup ses possibilités de réussite. Si les deux grands militaires n'avaient pas perdu la moitié de leurs hommes en chemin, leurs chances auraient été supérieures également. Le contrat des soldats, qui prenait fin le 1ᵉʳ janvier, avait obligé l'armée américaine à tout précipiter, à livrer *in extremis* un assaut absurde, avec des moyens insuffisants. Montgomery y avait laissé la vie. Arnold, la santé. Des centaines de prisonniers pourrissaient depuis dans les caves du séminaire et de la rue Dauphine.

Les yeux cernés d'Hélène s'emplirent d'eau, sans raison précise. Depuis la bataille de La Pocatière, elle se trouvait souvent au bord des larmes. Elle ne savait plus si elle pleurait ses semblables ou l'absence de Clément, ou l'enfant qui grandissait en elle. Elle jeta un coup d'œil à la fiole que la femme autochtone lui avait donnée. Chaque jour qui passait, elle était tentée d'en avaler le liquide jaunâtre, afin de mettre un terme une fois pour toutes à l'incertitude et à l'angoisse. Mais son abdomen devenait de plus en plus gros, et interrompre sa grossesse l'effrayait maintenant. Elle reportait l'instant fatidique, espérant secrètement le retour de Clément, souhaitant qu'il découvre son état et la prenne dans ses bras pour lui dire de garder leur enfant.

Elle aimait tant cet homme. Il était toute sa vie. Et elle adorait sentir en son ventre ce bébé qui était de lui. Si seulement lui aussi pouvait avoir envie d'accueillir cette nouvelle famille, elle connaîtrait de nouveau un certain bonheur. Elle fit des calculs ; en cette fin d'avril, elle se préparait à entrer dans son cinquième mois de grossesse. Il était sans doute trop tard… Il ne lui restait qu'à prier pour que Clément revienne et qu'il accepte. Mais personne ne vint, et ses prières demeurèrent sans réponse.

Alors elle changea d'idée et prit la décision de perdre l'enfant. Cette résolution la tuait : depuis qu'elle était toute petite, elle rêvait de devenir mère un jour. Et là, l'enfant à venir était de Clément, celui qu'elle avait aimé d'un amour infini. Elle prit la fiole, la retourna pendant plusieurs minutes. Au moment de l'ouvrir, ce fut plus fort qu'elle, elle ressentit le besoin fou de parler au bébé qu'elle portait. Mais il n'y avait en elle que des larmes.

Elle déposa la fiole et s'empara alors du violon rouge auquel elle n'avait pas touché depuis des lustres et appuya la tête à la mentonnière, avec tendresse. Les premières notes qui jaillirent sous l'archet sonnaient comme des pleurs d'enfant. Puis sa mélodie se transforma en une complainte très douce, très triste. Le chant du violon emplit toute l'habitation. Un concert dans la solitude. L'improvisation musicale d'Hélène disait à l'univers son désarroi, son grand malheur. C'était comme si elle écrivait sa peine sur tout ce qui l'entourait.

Un auditeur aurait eu l'impression que le monde entier pleurait avec elle. Ce concerto mélancolique disait mieux que des paroles tout l'amour qu'elle aurait voulu donner à cet enfant qu'elle n'aurait jamais. Une rivière coulait de ses yeux gris jusque sur son menton quand elle parvint aux dernières mesures. Au moment de déposer l'archet et le violon, son âme était si gonflée de peine qu'elle ne put retenir ses sanglots. Une rage incompréhensible monta en elle. Elle prit alors le flacon et, au lieu d'en boire le contenu, elle le lança de toutes ses forces sur le poêle, où il se brisa en mille éclats.

Le matin du 6 mai, Hélène sortit puiser de l'eau dans le fleuve. Des feux scintillaient sur la grève de l'île d'Orléans. Vers L'Islet, un autre foyer laissait monter son panache de fumée. Elle se souvint de la procédure qu'elle avait elle-même mise en place pour avertir de la venue des hommes de Carleton. Ce dispositif, inventé d'abord pour prévenir de la marche des soldats du roi vers les villages de la côte, pouvait aussi servir à annoncer l'arrivée des bateaux étrangers en provenance de la mer, si les brasiers s'allumaient dans l'ordre inverse. Ce qui était le cas.

Elle scruta l'horizon. C'est alors qu'elle aperçut une frégate, toutes voiles dehors. Alarmée, elle saisit sa lunette et identifia le pavillon qui flottait à la poupe : c'était un fanion britannique. *H.M.S. Surprise* était le nom du vaisseau bondé d'Habits rouges. Deux autres bateaux l'escortaient et arboraient eux aussi le drapeau de la Grande-Bretagne : c'était *L'Isis* et un sloop de guerre, le *H.M.S. Martin*. Les renforts anglais arrivaient encore les premiers.

Hélène grimaça. Son ventre se contracta d'inquiétude. Elle se rappela Neuville, où son cœur s'était momentanément arrêté de battre à l'arrivée des navires ennemis. Elle se revit en train de mentir à son père pour le laisser mourir l'âme en paix. Elle ne pouvait plus se cacher la vérité. Elle lâcha son seau et courut. Il fallait qu'elle sache. Quelle serait la réponse des Américains ? Elle fourra en vitesse ses affaires personnelles dans sa besace et gagna la route de Berthier-sur-Mer. Parvenue au village, elle trouva une charrette en partance pour la pointe Lévy. Cela la soulagea, car, pour la première fois, elle découvrait que son état lui rendait la marche pénible. Elle avait résolu de porter son chemisier par-dessus sa ceinture, contrairement à son habitude, pour cacher autant qu'elle le pouvait son ventre rond.

Quand elle mit pied à terre à la pointe Lévy, elle constata qu'une grande animosité y régnait déjà. Un bateau de guerre rempli des soldats de Carleton venait d'accoster, et ses contingents de militaires déferlaient sur la grève. Le bruit courait comme une traînée de poudre que le gouverneur était sorti de la citadelle avec ses hommes et avait chassé l'armée d'Arnold des terres d'Abraham Martin. Les Américains, sur l'ordre de retrait de John Thomas, avaient pris la fuite en direction de Montréal, n'emportant rien. On racontait méchamment que les soldats britanniques s'étaient régalés du repas que les Bostonnais s'étaient préparé.

Hélène trouva le moulin vide et le quartier général des rebelles complètement désert. Wooster et tous les autres avaient fui, eux aussi. Elle chercha longtemps Clément, interrogeant chacun. Personne ne l'avait vu depuis longtemps. Un des leurs, qu'elle reconnut, et qui tentait de passer inaperçu aux yeux des Anglais, lui rapporta, sans trop de certitude, que Clément Gosselin avait pris la direction de La Pocatière, où il avait ses terres.

Elle regarda les militaires anglais faire prisonniers une dizaine de partisans américains qui avaient ouvert le feu sur eux, bien naïvement. Ces Canadiens refusaient tout bonnement de croire qu'Arnold avait perdu la bataille. Hélène admira leur courage, estimant pourtant qu'ils avaient risqué leur vie pour rien. Les soldats du roi se vantaient partout que dix mille mercenaires allemands allaient bientôt débarquer à la suite des trois navires déjà ancrés devant Québec. C'était bel et bien fini. Les Américains avaient perdu la guerre.

La mort dans l'âme, elle tenta de se faire discrète pour échapper à la vengeance des miliciens royalistes qui avaient visiblement du plaisir à dénoncer les partisans des Yankees. Elle se glissa dans une petite remise et observa le va-et-vient incessant. Les Britanniques reprenaient possession des lieux avec une satisfaction évidente. Une grosse barque de mer faisait la navette entre le bateau à l'ancre et le quai, déversant à chaque voyage sa charge de militaires. Soudain, Hélène vit les Habits rouges pousser un homme débraillé en blaguant à son sujet. Un homme hirsute, barbu, qui avançait en titubant.

— Vas-y, mon brave ! Tu as bien mérité ta liberté, déclara le premier soldat en lui administrant un coup de pied dans l'arrière-train, avec l'intention évidente de faire rire ses camarades.

— Sans toi, nous n'aurions pas gagné la guerre, l'ami ! Fiche le camp, maintenant, dit un autre en lui donnant une taloche dans le dos.

Le pauvre homme, plié en deux, marchait en zigzaguant. Quand il releva la tête, Hélène eut l'impression de recevoir un coup de masse au plexus. Elle n'en croyait pas ses yeux. C'était Laurent Descôteaux. Il était dans un triste état, avec des cheveux longs et emmêlés, un regard misérable et une barbe de plusieurs mois.

— Attends, cria un jeune major en le rattrapant. Tiens, prends ça. Je t'en donnerai une autre pour chaque rebelle que tu nous montreras du doigt à partir de maintenant.

Laurent balaya de la main la gourde qu'on lui tendait et continua sa route en fixant le sol, honteux, pressé de disparaître.

Hélène avait toujours soupçonné que quelqu'un avait trahi Montgomery et Arnold la nuit de l'attaque fatale de la citadelle. L'armée de Carleton était trop bien préparée ; quelqu'un, à coup sûr, avait dévoilé la stratégie des Yankees. Elle se souvint que Laurent n'était pas revenu de sa mission d'espionnage derrière les murs de Québec, ce soir-là. C'était donc lui, le traître. « Sans toi, nous n'aurions pas gagné la guerre, l'ami ! » Cette phrase lui faisait maintenant l'effet d'un poignard dans le dos. Elle en ressentit un haut-le-cœur, et le sang se retira de son visage. Elle regarda la loque qu'était devenu son soupirant d'autrefois et, pendant un instant, communia malgré elle avec son désespoir. Elle avait honte. Elle était humiliée pour lui et gênée d'appartenir à une société qui pouvait engendrer des Judas de sa trempe.

Elle sentit soudain l'enfant bouger dans son ventre. C'était la première fois. Dans la confusion et la détresse qui s'emparèrent d'elle, elle lui demanda pardon de l'obliger à naître dans un monde aussi laid. Elle sortit de son abri, marcha pendant des heures, machinalement. Elle avait le sentiment d'avoir quitté son corps et de déambuler dans un univers sans horizon. Elle ne s'arrêta que pour se laisser choir sur sa paillasse en réintégrant la cabane à Gabourie, le cœur lourd, l'âme noire.

∽

Des semaines passèrent. Elle dormait des jours entiers, le sommeil étant son unique délivrance. Ses moments d'éveil étaient d'une telle douleur ! Exister lui faisait mal. Un jour, elle s'arracha pourtant à sa couche pour aller se ravitailler au village ; elle devait nourrir l'enfant qui était devenu désormais le seul lien qui la rattachait à la vie. Elle n'avait pas eu la force de s'en débarrasser et, malgré le non-sens de son comportement, sa grossesse lui servait de dernier prétexte pour continuer à vivre.

En se rendant au magasin général du village, elle vit que les Britanniques étaient partout, enquêtant sur tous ceux qui avaient appuyé les Américains, s'imposant grossièrement dans les maisons des habitants et s'invitant à leur table. Le marchand lui expliqua qu'elle avait tout avantage à ne pas se montrer en public. Les Britanniques étaient sans pitié. La vengeance des soldats de Carleton, après un interminable hiver de séquestration et d'humiliation, n'avait plus de bornes. Celles qu'on appelait les « reines de Hongrie » avaient été dénoncées et figuraient au premier rang des personnes recherchées.

Hélène regagna rapidement son refuge au bord du fleuve, emportant quelques denrées dans son sac. Elle avait l'impression que toute sa vie avait été une longue suite d'erreurs. Elle s'était trompée en escomptant une victoire contre les envahisseurs. Elle s'était méprise sur Simeon et Clément. Elle s'était emprisonnée en repoussant sans cesse le moment de mettre un terme à sa grossesse. Sans homme auprès d'elle, elle était désormais prise au piège d'un enfantement à venir, qui lui faisait affreusement peur. Elle était seule, immensément seule.

CHAPITRE 20

Fin juin 1776. Berthier-sur-Mer.

Les frondaisons d'été avaient réinvesti les branches, les oiseaux étaient de retour, les fleurs et les fruits aussi. Hélène s'affairait à traire la vieille chèvre que la veuve Gabourie lui avait confiée, le temps de sa grossesse. Ayant découvert sa maternité, elle l'avait prise en pitié :

— L'animal te fournira le lait.

Puis elle avait ajouté par compassion :

— Je reviendrai souvent avec d'autres vivres pour ta santé et celle du bébé.

Sous sa chemise ample, Hélène cachait son ventre de six mois. La chèvre bougeait et bêlait sans cesse devant elle, rendant la traite ardue. Bien dissimulé, Laurent Descôteaux l'épiait, hésitant à signaler sa présence. Il s'enflammait rien qu'à la vue de son Hélène. Il savait qu'il ne serait plus jamais le bienvenu en ce lieu, moins encore que partout ailleurs, où ceux qui avaient connu la défaite, une seconde fois en peu de temps, le rejetteraient comme le pire des traîtres.

Hélène se releva et il découvrit, tout étonné, son ventre proéminent. Il en tomba presque à la renverse, et les branches craquèrent sous son poids. Hélène tourna immédiatement la tête en direction du bruit, tous les sens en alerte. Elle ne voulait surtout pas que les Anglais la surprennent dans sa cache au bord de l'eau, elle n'en bougeait plus depuis des semaines et elle avait tout prévu pour ne plus avoir à retourner au village. L'enfant viendrait au monde à la fin de l'été, elle irait alors le confier aux sœurs hospitalières. Après, elle rentrerait à Neuville pour tenter d'y refaire sa vie.

Laurent retint son souffle, bouche bée devant la métamorphose d'Hélène. Il avait si souvent fantasmé sur sa silhouette, sur la beauté de ses courbes. La découverte de sa maternité le bouleversa. Il remarqua son léger embonpoint. Le visage qu'il aimait tant était plus rond que d'habitude, mais toujours aussi beau. Peut-être davantage, même. Les seins fermes, qu'il avait si souvent rêvé de pétrir, semblaient plus lourds encore. Il s'efforça de ne pas bouger.

Depuis longtemps, il avait renoncé à vivre. Pourtant, le courage lui manquait chaque fois qu'il tentait de mettre fin à ses jours. Ce qui restait de meilleur en lui l'avait poussé à venir en ce lieu affronter l'ultime humiliation. Le rejet brutal et définitif d'Hélène, qu'il anticipait à coup sûr, lui infligerait la plus grande douleur de sa vie. Il le savait, mais il était venu.

— Qui va là ? cria Hélène en s'avançant vers le bosquet.

Laurent, refusant d'être pris en flagrant délit de voyeurisme, se mit debout, brossant sa culotte des deux mains, comme quelqu'un qui se relève d'une chute.

— Fiche le camp d'ici, sale type ! Sinon je te tue…

— Tu me rendrais un grand service, arriva-t-il à dire avec un pauvre sourire.

Le cœur lui manqua en lisant l'expression de dégoût bien réel qu'il inspirait à la femme qu'il aimait. Voyant qu'il ne partait pas, Hélène tourna les talons et disparut dans la cabane, abandonnant la chèvre et le seau plein de lait. Au bout de quelques secondes, elle en ressortit, son pistolet à la main, et le visa.

— Si tu ne t'en vas pas immédiatement, sale traître, je tire.

Comme s'il avait décidé d'en faire son bourreau, plutôt que de reculer, il s'approcha d'elle. Hélène ne put retenir son bras de trembler. Elle exécrait ce destin qui l'avait obligée à affronter ses frères et qui maintenant la mettait devant l'éventualité de tirer sur un homme qu'elle savait follement épris d'elle. Elle avait beaucoup à voir avec le désespoir qu'elle lisait dans ses yeux. Elle raffermit son poignet sur l'arme. C'était par ce vendu égoïste que tout le malheur était venu. À cette seule idée, la détermination lui fut rendue. Elle braqua le canon sur le cœur de Laurent et stabilisa l'arme, prête à tirer.

— Je ne suis pas ici pour réclamer ta clémence. Je sais que tu ne pourras jamais me pardonner, déclara-t-il.

— Alors déguerpis, écœurant. C'est la dernière fois que je te le dis.

— Je suis venu t'informer d'une chose importante : les Habits rouges ont emmené ta sœur Isabelle pour l'interroger. Ils l'accusent d'avoir assassiné son mari, Peter Oak.

— Elle n'a rien fait. C'est moi qui l'ai tué, avoua Hélène en baissant son arme. C'est moi qui ai demandé à Clément et ses hommes de le laisser pourrir dans le jardin derrière la maison.

— Il vaudrait mieux ne pas leur raconter ça, alors ! Ils sont sans merci. Ils te pendraient.

— Crois-tu que je vais permettre qu'on exécute ma sœur à ma place ? Je ne suis pas lâche comme toi, moi !

— Peut-être qu'un jour tu comprendras à quel point ce lâche t'a aimée, Hélène. Et à quel point il t'aime encore, dit-il en s'éloignant à reculons, d'abord lentement, puis de plus en plus vite.

Il disparut dans le sentier ombragé, au pas de course, comme un désespéré impatient de se jeter dans les bras de la mort. Ébranlée, Hélène le regarda s'enfuir en réfléchissant à toute vitesse. Elle marcha vers la chèvre et dénoua la corde qui la retenait au piquet, lui rendant sa liberté. Puis elle retourna à l'intérieur et prépara rapidement son baluchon : un vieux sac de toile. Elle enfila sa chemise la plus longue, pour dissimuler au mieux sa grossesse, et gagna la route de terre. Son but : atteindre Saint-Pierre-de-la-Rivière-du-Sud avant la fin du jour. Tous allaient forcément découvrir son ventre, mais cela ne lui faisait plus rien. Il fallait qu'elle évite à Isabelle un sort qu'elle ne méritait pas.

Le voyage fut plus long qu'elle ne l'avait prévu. Personne n'accepta de la prendre à bord de sa charrette. On pourchassait les chefs de la rébellion : Clément Gosselin, Pierre Ayotte, Germain Dionne et toutes les « reines de Hongrie » étaient du nombre des personnes recherchées. Elle dut franchir la distance à pied, comme un paria. Quand elle aperçut enfin la maison de Jean-Louis, le soleil rouge baissait à l'horizon.

Elle fut malgré elle saisie d'une grande nostalgie, se souvenant de la première fois qu'elle avait contemplé ce paysage. Elle arrivait de la pointe aux Trembles, alors, et la résidence de son oncle en était réduite à son solage de pierre. Jean-Louis et Solange vivaient à cette époque dans une tente, le temps de reconstruire la chaumière incendiée par les soldats de George Scott, exécuteur des basses œuvres de Wolfe. Un campement tout semblable d'ailleurs à celui qui se trouvait en ce moment à deux pas de la maison. Hélène prit conscience tout à coup du lien qu'elle venait de faire et son cœur battit plus vite : l'abri en question, cette fois, était un campement militaire où deux soldats anglais chauffaient leurs gamelles au-dessus d'un feu de bois. Elle eut le réflexe de se dissimuler dans le fossé. Elle vit alors deux autres Habits rouges qui fouillaient le jardin dans la lumière du soir, silhouettes sombres contre un ciel couleur de sang.

Elle fut d'abord glacée par la peur mais ne mit pas longtemps à se ressaisir. Une fois de plus, la voix de son père Marc-Antoine avait résonné en elle : « Relève-toi, relève-toi encore, relève-toi toujours, jusqu'à mourir debout s'il le faut. » De toute façon, sa décision était prise depuis qu'elle avait quitté la cabane à Gabourie. Elle se livrerait aux hommes de Carleton et se déclarerait responsable de la mort de Peter Oak. Elle leur expliquerait ce qui s'était passé et les obligerait à libérer Isabelle, qu'ils accusaient injustement d'avoir tué son mari. Elle sortit de sa cachette et marcha résolument en direction des soldats.

Les hommes qui s'affairaient autour du feu se dressèrent d'un bond en la voyant venir. Ils attrapèrent leurs armes et la mirent en joue. Après l'avoir fouillée et avoir vidé son sac, ils la sommèrent de s'identifier. Étonnés, ils échangèrent des sourires de satisfaction en découvrant qu'ils tenaient l'une des « reines de Hongrie » recherchées depuis des jours. Ils la poussèrent sans ménagement à l'intérieur de la maison.

Hélène se retrouva face à face avec Isabelle, sa fille Angèle dans les bras. Jean-Louis, Solange et sa mère, Gilberte, étaient debout le dos au mur, les yeux grands ouverts et l'air effrayé par l'action des soldats. Leur surprise venait aussi de l'état d'Hélène, de sa grossesse avancée. Gilberte fut la première à s'élancer vers sa fille malgré sa peur des militaires. Elle la serra contre son cœur.

— Ma pauvre petite, murmura-t-elle. Dans quel état je te retrouve !

Hélène était restée interdite à la vue d'Isabelle.

— On m'a raconté que les Anglais te gardaient prisonnière et qu'ils t'accusaient du meurtre de ton mari, débita-t-elle d'un trait, avec une colère contenue mais réelle.

— Ils m'ont relâchée. En m'apprenant que le vrai coupable s'était dénoncé et avait indiqué, pour preuve, l'endroit où il avait enfoui le mort, répondit Isabelle.

— Ils creusent depuis ce matin et je crois qu'ils l'ont trouvé tout à l'heure, là où je l'avais inhumé au printemps, expliqua Jean-Louis.

— Mon Dieu ! Qu'est-ce qui nous attend à présent ? gémit Solange.

— Rien, rétorqua Jean-Louis, autoritaire. Ils tiennent leur responsable et ils n'en veulent qu'à ceux qui leur ont fait la guerre. Les enquêteurs de Carleton sont arrivés, ils s'apprêtent à nous sanctionner dès demain devant la chapelle du village. Ils vont sûrement te juger, toi aussi, Hélène, vu le rôle que tu as joué dans la rébellion.

— Est-ce qu'ils ont dit qui s'est accusé du meurtre ? demanda Hélène.

— Non… Ils ont seulement déclaré qu'ils tenaient leur coupable et que je pouvais rentrer chez moi, répliqua Isabelle, qui s'était remise à bercer sa fille.

Hélène réfléchit à toute vitesse. Dans son esprit, la seule personne, à part elle-même, qui pouvait s'accuser de l'assassinat de Peter Oak, c'était Clément. C'était lui qui avait porté le corps derrière la maison et qui connaissait l'endroit où le cadavre avait été enfoui. Lui aussi, avec ses hommes, avait tiré depuis les carrioles ce jour-là. Hélène avait le cœur dans un étau. Elle accepta, sans enthousiasme, la soupe et le pain que sa mère lui servit avec tendresse.

Personne ne fit allusion à son ventre. Pourtant, cette grossesse laissait présager le drame. Tous le comprirent, mais refusèrent d'aborder la question. Une mère non mariée était perdue dans cette société et n'était plus qu'une fille de mauvaise vie devant qui s'ouvraient toutes grandes les portes de la géhenne.

— Mon enfant naîtra en septembre, annonça Hélène pour rompre l'embarras et le silence insupportables.

Personne ne répondit. On imaginait la misère que l'enfant et la mère vivraient. Que de douleur en perspective ! Dehors, les soldats britanniques fêtaient la découverte du corps de Peter Oak et la capture de la « reine de Hongrie ». Ils riaient à gorge déployée, et leurs voix faisaient mal à entendre dans la maisonnée où l'atmosphère était tendue à l'extrême.

— Baby et ses commissaires exigent que tous les miliciens, anciens et nouveaux, se présentent devant la chapelle, demain, à midi, sous peine de représailles sévères, expliqua Jean-Louis. Carleton l'a chargé de mettre de l'ordre dans les rangs de l'armée civile du roi. On dit que son enquête récompensera les royalistes et punira les partisans des Yankees. Je me demande bien ce qu'ils vont faire de toi, une femme, engrossée par surcroît !

Hélène se tut. Le silence retomba, lourd. Dehors, les quatre soûlards entonnèrent des chansons grivoises et rirent comme des porcs. Solange alluma la chandelle pour combattre l'obscurité, mais chacun regagna sa couche. Hélène n'arriva pas à trouver le sommeil.

Le visage de Clément faisait des va-et-vient dans son esprit, comme une lancinante marée d'inquiétude. Se pouvait-il qu'il se soit accusé devant les Anglais du meurtre de Peter Oak ? Avait-il été fait prisonnier ? Était-ce pour cela qu'elle ne l'avait pas revu depuis si longtemps ? Ou était-il retourné auprès de sa femme et de ses enfants à La Pocatière, comme le lui avait dit ce rebelle en fuite ? Elle n'avait pas de réponse. C'était cela, le plus insupportable. Sa vie, remplie d'incertitudes, s'acharnait à lui arracher le cœur. Par la fenêtre ouverte, les rires et les chants des militaires venaient narguer sa douleur. Elle ne parvint pas à dormir de la nuit. Des interrogations revenaient sans cesse et tournaient dans sa tête. Son destin était en train de se refermer sur elle, comme un piège inéluctable. Elle avait froid. Elle avait mal. Elle voulait mourir.

CHAPITRE 21

Début juillet 1776. Saint-Pierre-de-la-Rivière-du-Sud.

Les soldats avaient obligé Jean-Louis à fournir le cheval et le tombereau. L'oncle d'Hélène marchait sur le chemin de terre en guidant la monture par la bride. Les Habits rouges encadraient la charrette à foin dans laquelle on avait installé la « reine de Hongrie ». On l'avait attachée à la perche centrale. On n'avait pas jugé bon, par contre, de ligoter Jean-Louis pour le conduire au village, car on se fiait à son honneur de milicien. Il avait été soldat, après tout, bien que dans le mauvais camp. Quant à la femme rebelle, c'était une tout autre histoire. Elle représentait un véritable trophée pour les hommes de Carleton : elle était recherchée pour sédition. On la traitait donc en prisonnière de choix.

Hélène avait peur. L'angoisse montait en elle comme une mer déferlante, à mesure qu'elle passait devant les habitants des rangs, qui avançaient eux aussi en direction de la chapelle de Saint-Pierre-de-la-Rivière-du-Sud et qui déambulaient en silence, comme s'ils se rendaient à l'abattoir. On en était aux suites de la guerre : punitions, humiliations, déshonneurs. On allait assister aux sentences du vainqueur. Le comportement rancunier des Britanniques était connu, leur vengeance, légendaire. Tous avaient en mémoire les morts, les blessés, les agressions, les incendies, les déportations dont ils étaient capables. Le tout au nom de la civilisation qu'ils prétendaient offrir en cadeau aux peuples du pays qu'ils soumettaient.

Hélène vit que tous les yeux se détournaient ; personne ne voulait s'associer à cette accusée de premier plan, dont les actions avaient soulevé tant de monde lors des soirées de recrutement. Elle se sentit seule, abandonnée à son sort. Quelques enfants insouciants, qui s'amusaient à cueillir des mûres au bord de la route, s'arrêtèrent, intrigués, pour regarder passer la prisonnière. Elle avait froid, malgré la chaleur intense, et ses bras, retenus derrière son dos, étaient engourdis et douloureux. On lui avait attaché les poignets et tendu une corde sous les aisselles pour la maintenir au poteau, dans le but évident de ne pas lui enserrer le ventre. Le lien faisait saillir sa poitrine encore plus que d'habitude, mais son chemisier ample dissimulait avec pudeur sa grossesse avancée.

Au détour de la route, elle découvrit la foule. Une clameur monta. On l'avait reconnue. Son pantalon de peau, ses bottes lacées, sa blouse échancrée et sa lanière de babiche autour de la tête, tout la rendait facilement identifiable. Il n'y avait qu'elle pour afficher une tenue aussi provocante. Hélène aperçut d'abord le peloton de soldats en armes, qui faisaient face à des centaines de miliciens, en rangs ordonnés, sans fusils, les yeux rivés sur le sol par la contrition. Le public, curieux, s'était massé autour des commissaires. Baby et ses acolytes, assis derrière une petite table où ils feuilletaient leurs registres d'accusations, jouxtaient les grandes portes de la chapelle.

Devant ce lourd portail se tenaient debout l'abbé Curot, le coseigneur Michel Blais et plusieurs autres royalistes connus. Hélène vit le prêtre, coiffé de sa barrette, se signer en la repérant, comme si le diable venait de lui apparaître. Puis, derrière la foule, un peu à l'écart sur la place publique, il y avait l'échafaud rudimentaire qu'on avait dressé pour la circonstance. La seule vue de cet instrument de justice et de mort en faisait trembler plusieurs. Hélène se tordit le cou pour mieux regarder de tous les côtés. Elle n'avait qu'une pensée : trouver Clément dans la foule. Était-ce pour lui qu'on avait érigé cette potence ? Elle scruta le visage de chaque milicien qui passait en jugement. Il n'était pas parmi eux. Dans l'assistance, une femme plus hardie que les autres cria à son intention :

— Tout ça, c'est de ta faute, chienne !

Hélène ne sourcilla pas. Elle comprenait cette rancœur. Si la « reine de Hongrie » avait incarné pendant un temps l'espoir d'une société brimée, aujourd'hui elle ne représentait plus que son échec lamentable.

Le procès commença après quelques appels au silence. Debout dans son chariot, Hélène voyait bien l'ensemble de la cérémonie. Elle vit s'avancer d'un pas, les uns après les autres, les miliciens qui recevaient des éloges de fidélité et de bons services de la part de Carleton et du roi George III. On les déclarait maintenus dans leurs fonctions ou, la plupart du temps, promus.

Puis vint le tour des transfuges. Ils furent accusés, rétrogradés, cassés. Tous, à tour de rôle, montèrent sur le parvis de la chapelle où on les fit mettre à genoux en leur passant une corde symbolique au cou. De leurs voix timides, ils demandèrent pardon, puis on les obligea à crier : « Vive le roi ! » Triste spectacle d'humiliation publique, dans un silence pesant, presque total. Quand les expressions manquaient de tonus, on prenait plaisir à faire répéter, jusqu'à trois fois, cette phrase convenue qui leur rentrait la défaite dans la gorge. Curot, ensuite, leur donnait l'absolution, levant les menaces d'excommunication qui les privaient de la rédemption. Les miliciens déshonorés regagnèrent leurs rangs et fixèrent leurs pieds, humiliés.

Vint le tour d'Hélène. Elle entendit Baby déclarer :

— Cette commission n'a malheureusement pas de mandat concernant le sort à réserver aux personnes de ce sexe qui ont participé à la rébellion. Sa mission se limite à la milice du roi. Je suggère donc que vous tous, ici présents, fidèles sujets de Sa Majesté, vous vous chargiez de la juger et de la punir comme il se doit.

Il termina sa phrase avec un mauvais sourire, plein de sous-entendus. D'abord hésitante, la foule se déchaîna. Il fallait un bouc émissaire à tout ce déshonneur. Quelqu'un devait payer pour tant d'abaissements. Des suggestions de sentences fusèrent de partout. L'accusée fut traînée devant l'échoppe du forgeron pour subir le supplice du goudron, proposé par un soldat britannique qui estimait cette sanction spectaculaire.

Deux habitantes, particulièrement haineuses, s'en prirent à ses beaux cheveux avec des forces servant à la tonte des moutons. Une autre lui déchira son chemisier, faisant apparaître ses seins aux yeux de tous. Son ventre aussi, du même coup ! La réaction de surprise fut immédiate et puissante :

— Mais voyez-moi ça ! Elle a un gros ventre, notre « reine de Hongrie » ! cria une jeune mégère. Putain !

— Lequel de nos hommes t'a engrossée, traînée ? ajouta une autre.

Curot se signa deux fois, soulevant son étole et son surplis d'un geste nerveux. Contre toute bienséance cléricale, il n'arrivait pas à détourner le regard de ce corps de femme exposé devant lui, car, depuis des années, il s'était imaginé ses seins terminés en pointe sous son chemisier et se mourait de désirs inavouables. Quand le milicien commença à lui couvrir la tête de goudron fumant, Hélène laissa échapper un cri d'animal écorché. On lui badigeonna le dos et la poitrine, au plus grand plaisir des voyeurs. Elle faillit s'évanouir et, à partir de ce moment, n'émit plus aucun son, tant la souffrance était atroce.

Le public en avait plein les yeux. Le spectacle était à la fois érotique et sadique. On la roula dans l'oreiller de plumes éventré, sous les rires et les insultes qui s'amplifiaient. On lui jeta un seau de fiente de poules sur la tête. Puis on lui enfonça violemment sur le crâne une couronne de fer-blanc, sommairement taillée et qui lui écorchait au passage le cuir chevelu. La foule criait : « Vive la reine de Hongrie ! » Hélène, en quelques secondes, s'était transformée en une sorte d'oiseau loufoque. Couverte de plumage depuis le front jusqu'aux hanches et coiffée d'un diadème de tôle, l'accusée était enfin humiliée à son tour. Une pierre la frappa durement à la tempe. Elle se laissa choir sur le sol et se lova en position fœtale.

— Elle a son compte. Qu'elle crève, la putain, avec son rejeton d'enfer.

Comme dans un brouillard, Hélène eut la force d'entrevoir la foule qui l'abandonnait à son sort et se ruait vers l'échafaud. Le spectacle se poursuivait ailleurs. À demi inconsciente, elle parvint à soulever ses paupières engluées dans la poix collante. La peur de voir Clément apparaître sur le gibet était plus forte que sa douleur. Elle réussit enfin à se mettre à genoux, mais n'arrivait pas à bien suivre l'action, l'assistance nombreuse dissimulant l'orateur à ses yeux. Il y eut un roulement de tambour et elle put saisir des bribes de l'acte d'accusation:

— … pour le meurtre avoué de l'officier Peter Oak, vous avez été condamné à être pendu haut et court, jusqu'à ce que mort s'ensuive, débita la voix.

Le son de la caisse claire reprit de plus belle. Hélène, dans un effort ultime, parvint à se mettre debout. Il fallait à tout prix qu'elle sache. Son cœur battait à tout rompre. Mourir lui aurait semblé plus facile que d'éprouver cette peur de découvrir, la corde au cou, l'homme qui avait été l'amour de sa vie. Les soldats amenèrent le condamné.

Le cœur d'Hélène sauta un battement. Ce n'était pas Clément. C'était Laurent Descôteaux. La culpabilité l'étouffa, et une curieuse expression où se mêlaient surprise, abnégation et regret envahit son visage. Elle se souvint de lui avoir avoué son crime et de lui avoir dit qu'on avait enterré le corps de Peter Oak dans le jardin, derrière la maison. Laurent avait donc finalement décidé de donner un sens à son désespoir. Il s'était accusé de l'assassinat de l'Irlandais à la place de la femme qu'il aimait!

Pour Laurent, sa confession était à la fois un geste d'amour ultime envers Hélène et une tentative de se racheter. Combien de fois avait-il raté son suicide? Il s'en était trouvé incapable. Là, d'autres se chargeraient de ce qu'il n'avait pas eu le courage de faire. Et surtout… surtout, Hélène saurait à quel point il l'avait aimée, au bout de la folie et jusque dans la mort. Elle découvrirait à quelle extrémité il se rendrait, quel seuil il franchirait au nom de son amour pour elle.

Lorsque les bourreaux voulurent lui passer la cagoule, il refusa. Il préférait mourir les yeux grands ouverts. Il chercha Hélène du regard et la trouva enfin, couverte d'immondices, de goudron et de plumes, la poitrine et le ventre ignoblement exposés à la vue de tous. Quand il parvint à fixer les yeux gris qu'il aimait tant, un sourire d'une absolue tristesse apparut sur ses lèvres.

Hélène n'arrivait plus à détacher son regard de celui qui allait donner sa vie pour elle. Elle était rivée bien malgré elle à cette scène affreuse. Les yeux de Laurent lui parlaient d'amour muet et infini, de malchance et de désespoir sans fond. Il versa des larmes alors que le bourreau affermissait le nœud dans son cou. Le tambour reprit son roulement. La foule se tut. Puis, dans un silence total, la trappe s'ouvrit brusquement et emporta Laurent Descôteaux et ses pleurs insoutenables.

CHAPITRE 22

Deux ans plus tard. La pointe aux Trembles.

Par la fenêtre de la cuisine, Hélène regardait jouer le petit Marc-Antoine dans le jardin de la vieille maison paternelle. Avec les années, rien ne ressemblait plus à rien ; l'ancien potager de sa mère avait poussé en friche et les champs étaient devenus des prairies couvertes de chardons. Après le départ de l'armée américaine, lors de l'assaut de la citadelle par Montgomery, la résidence familiale était restée inhabitée durant tout l'hiver et Hélène l'avait retrouvée dans un état de délabrement avancé. Les intempéries l'avaient vieillie prématurément. Au fond de la cour, le dernier bâtiment de ferme penchait dangereusement ; le poids de la neige en était venu à bout et il menaçait de s'écrouler d'un jour à l'autre.

Hélène avait dû placarder les carreaux brisés de la masure et fixer la porte qui battait au vent à son arrivée. Peu lui importait cette décrépitude : elle se sentait chez elle dans cette vieille maison pleine de souvenirs d'enfance. Le curé de l'endroit avait tiqué en la voyant s'installer dans le village. Non parce qu'il s'inquiétait pour son confort, mais plutôt parce qu'une femme engrossée et sans mari n'avait pas sa place dans sa paroisse. Un scandale absolu. En chaire, il l'avait expressément nommée et citée comme un exemple à fuir. Une fille de très mauvaise vie.

Le bambin ressemblait de plus en plus à Clément. Un port de tête noble et des cheveux bouclés. Il en était à découvrir ses jambes, sous le regard de sa mère attendrie. La roche à bon Dieu semblait le fasciner. Il y entrait et en sortait avec des cris joyeux qui arrachèrent un sourire triste à Hélène. C'était là qu'elle s'était cachée la première fois qu'elle avait vu débarquer les Britanniques.

C'était pour ce coin de terre, sublimé dans sa mémoire – elle s'en rendait compte à présent –, qu'elle avait livré le combat pendant tant d'années. Son petit Marc-Antoine tournoyait sur ses jambes potelées et entraînait avec lui tout un tourbillon d'images tendres dans la tête d'Hélène. Elle se revoyait, ensorcelée par ses propres jeux d'enfant, heureuse, avec ses frères et sa sœur. Doux souvenirs d'une prime jeunesse qui courait dans le vent sous le soleil d'une époque révolue. Les odeurs, les couleurs lui revenaient comme autant de caresses envolées. Le seul regret qu'elle avait, c'était de savoir que son fils ne connaîtrait ni père ni grands-parents. Elle était son univers cloîtré, son unique famille.

Dès qu'elle avait été capable de se tenir debout, en dépit de ses brûlures profondes, elle avait résolu de venir à la pointe aux Trembles. Se retrouver très loin de tous ces gens de la côte sud qui l'avaient jugée et punie durement. Pour se cacher et se soigner, comme une bête blessée. Pour oublier aussi, si cela était possible. Et pour mettre son enfant au monde, à distance des regards réprobateurs et de la haine des siens. Malgré les protestations de sa mère et de sa sœur, qui l'avaient ramenée dans la maison de Jean-Louis après le supplice, elle était partie, refusant d'accoucher dans ce village où elle était devenue une brebis galeuse.

Ses cheveux avaient repoussé, camouflant les cicatrices profondes causées par la couronne de fer et le goudron brûlant. La poix avait heureusement laissé peu de traces sur son beau visage. Sur sa poitrine, par contre, deux larges balafres rappelleraient toujours la torture qu'on lui avait fait subir. Sans perdre de vue l'enfant qui jouait au jardin, elle jeta un rapide coup d'œil par la fenêtre de la façade : les soldats britanniques, comme d'habitude, faisaient leur ronde.

Depuis le départ forcé des Américains, le Suisse protestant Frederick Haldimand avait dispersé ses milliers de mercenaires germaniques et irlandais dans tous les villages de la *Province of*

Québec. Il avait pris ainsi ses précautions pour empêcher toute velléité de soulèvement. La commission Baby avait ramené l'ordre dans la milice, et les nouveaux militaires, récemment débarqués, opéraient une surveillance continuelle, surtout dans les endroits qui avaient connu les plus fortes poussées de rébellion. Neuville était de ceux-là.

Le village avait été vidé des hommes en état de travailler. Le général von Riedesel, chargé d'organiser et de faire respecter les corvées de punition, les avait contraints à se rendre dans les *Eastern Townships* pour plusieurs mois. Les Canadiens, même ceux qui étaient restés neutres, payaient cher pour ceux qui s'étaient battus. On les arrachait à leurs champs, à leurs familles, et on les obligeait à construire, sans salaire aucun, des maisons et des granges pour les nouveaux arrivants royalistes qui fuyaient la guerre d'indépendance américaine.

De l'autre côté de la frontière, les combats avaient toujours cours, et Moses Hazen avait réuni de nombreux rebelles du Canada sous ses ordres. Pendant ce temps, à Neuville comme ailleurs, les mercenaires allemands, souvent grossiers et vengeurs, appliquaient les coutumes des vainqueurs et faisaient trembler les femmes et les enfants partout dans le village. Il n'était pas rare de les voir imposer la présence de trois ou quatre soldats aux veuves et aux épouses privées de leurs maris. Celles-ci devaient leur offrir de la soupe et l'hébergement en plus de leur fournir le bois de chauffage. Parfois, pour échapper aux mauvais traitements, les femmes n'avaient d'autre choix que de leur donner accès à leurs chambres.

Hélène avait pu éviter le pire. Mais depuis quelques jours, quatre Habits rouges s'invitaient dans sa maison et exigeaient qu'elle leur prépare la soupe. D'autres demandes allaient suivre. Elle le savait. Ce soir-là, après leur avoir servi le repas, avoir enduré leur humour de bas étage et leurs gestes orduriers, elle décida de partir. Elle avait surtout peur pour son fils. Elle parvint à endormir le petit, malgré les éclats de voix des soldats qui se soûlaient à la cuisine. Puis elle s'installa au pupitre chargé des papiers de son père et prit la plume d'oie. La main tremblante, elle la trempa dans l'encre et en fit glisser le biseau sur le vieux parchemin :

Clément, mon amour,

J'espère que cette lettre te trouvera vivant. Après tous ces mois sans te voir, sans nouvelles de toi, j'ai supposé que tu avais fait ton choix. J'aurais préféré que mes derniers mots pour toi soient moins tristes. Mais je n'en ai pas d'autres. Je n'ai connu dans ma vie que des déceptions. Désenchantements quant à mon peuple et ma famille.

J'ai rêvé toute ma vie, comme toi, de venger mon père et de réaliser son grand rêve : bâtir une société française libre en Amérique. Hélas, je suis prisonnière dans ma propre demeure, dans ma propre patrie. La plus triste des captives, enfermée entre la rancœur des miens et la vengeance des Britanniques.

J'ai rêvé toute ma vie d'un grand amour, le tien, celui d'un homme qui aurait la même élévation d'âme qu'avait mon père, mort en voulant sauver cette terre belle à pleurer, qui nous glisse aujourd'hui des mains. La vie a mis sur le chemin de mon cœur des hommes de liberté, car je n'avais d'intérêt pour personne d'autre. Mais les amoureux de la liberté n'aiment pas davantage la prison que représente la fidélité à l'égard d'une femme. Simeon fuyait toute obligation envers moi, prétextant que l'engagement du cœur tue l'amour. Au fond, il préférait sa liberté. Quant à toi, je sais que tu m'as beaucoup aimée. Pourtant, tu as choisi de rester libre à ta façon, en allant d'une femme à l'autre.

Je peux comprendre que tu aies arrêté ton choix finalement sur ton épouse légitime et tes enfants. Un petit, ça vous attache le cœur comme seuls ceux qui en ont peuvent le comprendre. Tu m'avais dit que je pourrais espérer mettre au monde, moi aussi, un enfant dont tu serais le père le jour où tu pourrais lui offrir un pays. Je n'ai donc plus d'espoir et je n'attends plus rien.

Je veux que tu saches tout de même que j'ai donné naissance à un garçon qui est de toi. Si je ne t'en ai jamais parlé,

Le cavalier apparut, puis se perdit dans l'ombre de la colline et la brume matinale. Elle ne parvint pas à le garder dans le cercle de l'objectif. L'homme portait un tricorne. Elle en éprouva un violent serrement au cœur. Se pouvait-il que ce soit lui ? À mesure qu'il s'approchait, ses traits se précisèrent. Après un moment de déni, elle n'eut plus de doute. Clément s'en venait, contre toute espérance. Elle tomba à genoux et éclata en sanglots. Le petit Marc-Antoine en fit autant en entendant sa mère pleurer.

Clément mit pied à terre. Doucement, il enserra Hélène, tremblante, dans ses bras. Puis il prit l'enfant et le regarda longuement. Ses yeux s'emplirent de larmes à son tour.

— J'ai été fait prisonnier, lui dit-il simplement. Depuis deux ans, je pourris à Québec en priant pour te retrouver. Quand je suis rentré à La Pocatière, on m'a remis ta lettre. Je pars rejoindre le régiment de Moses Hazen, de l'autre côté de la frontière. Les rebelles n'ont pas encore dit leur dernier mot. Je ne peux pas, aujourd'hui, t'offrir le pays dont nous avons rêvé tous les deux. Mais Hélène, ma belle Hélène… je peux te proposer de venir avec moi, qu'on tente de refaire notre vie dans un pays qui a déclaré son indépendance et chassé le tyran.

Hélène ne voyait plus rien, tellement ses yeux étaient inondés. Elle pleurait et riait en même temps, incertaine d'avoir bien compris ce que Clément lui offrait. À nouveau, un espoir fou s'empara d'elle. Tout n'était donc pas perdu. Une vraie terre de liberté, comme l'avait rêvé son père, existait ailleurs. De là, elle pourrait recommencer à imaginer une démocratie française en Amérique et un renversement de l'ordre social étouffant qui maintenait tous ses semblables dans la soumission. « Jusqu'à mourir debout », avait dit Marc-Antoine. Elle prit l'enfant dans ses bras et se leva.

c'est parce que je voulais que tu m'aimes assez pour me faire
un enfant, plutôt que de te sentir obligé de m'aimer à cause de
lui. J'ai espéré jusqu'à la défaite finale que nous vaincrions.
Nous avons perdu. Je garderai donc pour moi ce fils magni-
fique, véritable portrait de toi, comme le souvenir vivant de
nos caresses. J'ai décidé de partir en exil et je tenais à te faire
mes adieux.

Ton amour à jamais,
Hélène

Le lendemain matin, elle porta la lettre à la poste mise en place par les Britanniques et l'expédia à tout hasard à Clément Gosselin, La Pocatière. Les jours passèrent. Hélène se prépara minutieusement au départ. Il fallait qu'elle prévoie tout, non pour elle, mais pour son fils. Le voyage serait long. Ses bagages devraient se limiter à l'essentiel. Elle emporterait toutefois le violon rouge et la lunette d'approche. Elle marcherait, la plupart du temps, avec le petit Marc-Antoine sur sa hanche, à l'indienne. Elle quêterait des transports en route et travaillerait chez l'habitant au besoin. Son intention était de gagner, dans un premier temps, la rive sud du fleuve et de retrouver ses amis autochtones de Berthier-sur-Mer. De là, elle chercherait à se négocier une place sur le brigantin du capitaine Harding.

Le jour arrivé, elle sortit tôt, dans les premières lueurs de l'aube, avant que les Tuniques rouges reprennent leur ronde. Elle avait décidé de s'enfuir de la pointe aux Trembles en longeant l'orée de la forêt, pour éviter la surveillance et le contrôle des Anglais sur la route.

À peine avait-elle franchi les premiers milles qu'elle s'arrêta, interdite. Tous les sens en alerte, elle scruta l'horizon avec sa lunette : un cavalier avançait tout au fond du paysage, en suivant tout comme elle la lisière du boisé. On aurait dit qu'il cherchait, lui aussi, à se cacher des hommes de Haldimand. Il traînait un autre cheval derrière lui. Hélène, intriguée et inquiète, eut du mal à maintenir droit l'instrument et à faire le point sur l'arrivant.

ÉPILOGUE

Clément partit rejoindre le régiment d'Hazen du côté américain de la frontière et Hélène le suivit, tous ses espoirs ravivés. Les oracles du vieux Muraco s'étaient tous avérés : elle avait tué un homme, avait été conduite au supplice et avait accouché dans la solitude et le désespoir. Mais à présent elle se trouvait devant un avenir dont il n'avait pas parlé. Que seraient sa vie et celle de son petit Marc-Antoine dans ce monde ? Clément lui avait-il été redonné pour de bon cette fois ? Pourrait-elle un jour revenir dans sa patrie pour y aider à construire cet ordre social nouveau, libre et démocratique dont avait rêvé son père ? Et ce fils magnifique qu'elle portait sur la hanche avec amour et fierté, saurait-il, mieux que ses parents, mener à terme le combat sacré resté inachevé ?

Dans le troisième tome de la série *La Rebelle et le Yankee*, intitulé *Le chant d'espoir du violon écarlate*, le lecteur accompagnera encore Hélène, parcourant avec elle le chemin de ses joies et de ses malheurs, jusqu'au bout de sa quête.

Avertissement

Tout le long des recherches qui ont abouti à la rédaction de ce roman autour des événements de 1775-1776, j'ai remis en question l'expression « invasion américaine ». Cette appellation courante s'explique par le fait que l'histoire de cette période fut écrite par les vainqueurs : les Britanniques et tous ceux qui leur étaient inféodés, y compris les représentants de l'Église catholique au Québec.

La réalité fut tout autre, et le Québec, n'eût été le rôle joué par le clergé et les seigneurs, serait probablement aujourd'hui un État américain de plus. Malgré toutes les forces liguées contre leur projet, une très large part de la population d'alors appuyait les *Patriots* et leur quête d'indépendance. On peut donc conclure que c'est l'Église qui a maintenu la petite nation canadienne-française émergente dans la soumission aux Anglais. Les robes noires de la soumission ont bel et bien été à l'origine de la défaite et du rendez-vous manqué de tout un peuple avec la liberté.

Mgr Briand lui-même le confirme d'ailleurs dans une lettre datée du 27 septembre 1776 : « On peut dire que la conservation de la colonie au roi d'Angleterre est le fruit de la fermeté du clergé et de sa fidélité. » (Jean-Olivier Briand, 27 septembre 1776, cité par Jacques Lacoursière dans son *Histoire populaire du Québec*[2].)

---

2. Lacoursière, Jacques, *Histoire populaire du Québec – Des origines à 1791*, Québec, Septentrion, p. 434.

Remerciements

Ce deuxième tome de la trilogie *La Rebelle et le Yankee* a béné-
ficié des conseils précieux de toute l'équipe de Libre Expression,
que je veux remercier ici. Ceux, particulièrement, de Miléna
Stojanac, mon éditrice, qui m'a enrichi de ses suggestions et
conseils pertinents durant mon travail d'écriture. Merci aussi à
Romy Snauwaert et à Sophie Sainte-Marie. Je veux remercier
également mes lecteurs et lectrices de la première heure : Isabelle Lefebvre, Martin Lefebvre et Guy Drouin. Merci à Claude
Bariteau, ce grand expert des questions nationalistes, pour ses
conseils touchant l'aspect historique du roman et la structure du
récit. Enfin, merci à Michèle Poitras, ma compagne de vie, à qui
j'ai dédié ce livre. Elle a partagé mon aventure d'écrivain avec
tendresse et patience une fois de plus.